# より正確な見積を作るための本

プロジェクト
マネージャーの
ための

ストラクチュアルライン株式会社 **牧石 幸士** 著

JN093899

秀和システム

# はじめに

## ■執筆の背景

本書の見積のこだわりは、開発現場の低残業です。残業状況は、品質にも影響するのでお客様のためでもあります。プログラマーの残業量を左右するスケジュールは、見積時の見積工数がベースとなり決まります。よって、見積工数が足らなかった場合、開発現場は高稼働になります。

一方、システム開発を受注すること自体が本当に大変です。毎回、正しい見積工数で算出した「期待する受注金額」で受注できません。値引きをすることが多いと思います。

しかし、値引きの際に、利益の捻出のために、作業内容を見直さず見積工数だけを減らしてしまう現場も多くあります。当然、見積工数が足りないために開発現場は高稼働になります。

このように見積の時点で間違った計画をしているために、開発現場で過度な稼働を強いられている方々を少しでも減らしたいと考えておいたところ、具体的な見積手順の説明資料が不足していることがわかりました。

そのため、弊社の見積手順や見積ノウハウが少しでもみなさまの参考になればと思い、本書の執筆をすることにしました。

## ■本書の目的

　見積をする場合は、見積ミスによりプロジェクトが炎上することは避けたいです。

　しかし、完璧な見積を目指して、見積方法が複雑すぎたり見積に時間がかかりすぎたりすることも現実的ではありません。

　また、見積工数に余裕がありすぎても見積金額が高額になり受注ができなくなります。

　よって、バランスの取れた見積を作ることが重要です。

　本書の目的は、システム開発において、低残業で問題なくリリースすることを目指したうえで、計画の精度とスピードのバランスを取った実践的な見積の手順を、具体例を使って説明することです。

　第1章で見積のポイントを説明したうえで、具体的な見積の手順については、第2章で説明していきます。

　なお、時間がない方は、第1章の見積方法の概要で説明している「見積のフロー」だけでも参考にしていただけたら幸いです。

　特段、普通の見積のフローですが、経験上、炎上プロジェクトの多くの原因は、実施すべき見積手順のどこかが欠けていることによる見積ミスです。細かいこと抜きで、本書の「見積のフロー」を回すだけでも効果はあると思います。

## ■対象読者

- ●見積の具体的な手順がよくわからない方
- ●炎上プロジェクトを回避したい方
- ●お客様に対して見積金額の根拠を説明することが苦手な方
- ●お客様の予算に対して見積をする方法を知りたい方

## ■本書で説明する内容

- ●見積手順とポイント
  - ❖経験や実績を根拠に、計画の精度とスピードのバランスを取った見積の作成手順とポイントについて実践的な具体例で説明
  - ❖さまざまなケーススタディやアンチパターンを具体例で説明
  - ❖ソフトウェア工学的な見積方法や大規模システムの見積方法については別書を推奨

- ●説明する見積対象
  - ❖50人月前後のウォーターフォール型のシステム開発
  - ❖要件定義後のシステム開発工程の見積

- ●説明対象となる業務上のアウトプット
  - ❖見積工数と見積金額
  - ❖見積工数の説明根拠となる明細情報

# contents

## 第2章　見積の手順 ───────────── 47

# memo

# 序章

# 見積業務の課題

# 序章 1 見積業務の課題や悩み

　システム開発の見積をする際には、さまざまな課題や悩みがでてくると思います。

● そもそも見積ってどうやったらいいの？
● 見積ってどこまで計画するの？
● お客様からの「こんなにかかるの？」に説明ができない
● 開発が始まると、いつもスケジュールが厳しくて高稼働になる
● 予算が決まっているなかでどう見積したらいいの？

　課題や悩みは、見積経験の有無、見積対象のシステムの難易度や人間関係を含めさまざまな要因によって変わってきます。

　はじめて見積を実施する場合は、なにをどうしたらよいかわからず、先輩に聞いたりいろいろと調べたりして、試行錯誤で実施すると思います。

　規模の大きなシステム開発になると、金額が大きくなり、お客様への説明に苦労したり、自分の計画が本当に大丈夫か心配になったりすると思います。

　また、お客様の予算が決まっている場合などは、お客様への提案内容や金額の検討、会社の利益への考慮が必要なため、見積時の考察量が増していきます。

　システム開発における見積の難しさは、精度の高い工数を導き出すことだけではなく、お客様の予算に合わせた見積を作成することにもあります。

たとえば、お客様にも予算があるため、お客様はシステム開発会社が提案する見積に対し**「見積工数の妥当性」**を検証する必要があります。そのため、お客様によっては見積に対し「こんなに工数かかりますか？」と説明を求めてきます。

■見積工数の妥当性チェック「こんなにかかります?」

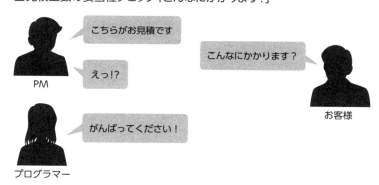

　見積工数の妥当性を説明できないプロジェクトのなかには、作業量が変わらないのに見積工数を減らすことで、利益を確保しようとする現場もあります。当然、見積工数が足りないため、開発メンバーの稼働時間に影響します。

　本書ではこのような課題に対応するための見積方法として、**お客様に見積工数の妥当性を説明できる見積方法**について、**大切なポイントと見積手順を具体的に説明**しています。

# 序章 2　システム開発の成功とは

　システム開発における成功とはなんでしょうか。

　システム開発における成功とは、たとえば「予算通りに、スケジュール通りに、高品質で納品すること」などが挙げられますが、メンバーが多くの残業を強いられていた場合などは成功とは言いたくありません。そもそも、メンバーが多くの残業をしている場合、高品質な納品は難しいことが多いです。

■システム開発の成功（メンバーが残業している図）

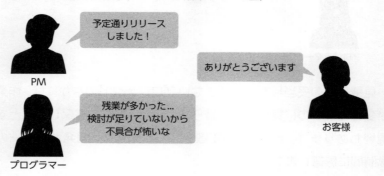

　残業が多いプロジェクトは、本来もっと予定工数が必要だったということであり、計画の精度が低い証拠になります。
　計画の精度が低いプロジェクトでは、スケジュールが不安定になり、メンバーが疲弊してしまいます。その結果、現実的には品質が低いことが多く、お客様に迷惑をかけてしまうことがあります。

　よって、本書におけるシステム開発の成功とは、**「残業が少なく予算通りにスケジュール通りに高品質で納品すること」**です。

細かいことを言えば、お客様がシステム導入により期待していた効果を得られることが、本当の成功となります。

■ システム開発の成功（メンバーも納得の成功の図）

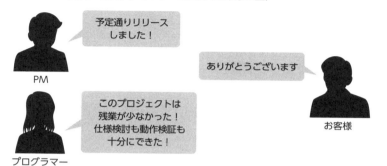

　本書では、残業が少なく予算通りスケジュール通りに進めるための見積の手順を説明していきます。システム開発の成功には精度が高い計画が大切になります。

# 序章 3　実践的で具体的な見積手順の説明

　本書では、さまざまな課題に応えるべく、実践的で具体的な一連の見積手順を説明していきます。本書の見積手順には、正確な見積工数を導くノウハウやシステム開発全体の計画までリスクヘッジするノウハウが詰まっています。

　さらに、ケーススタディやアンチパターンについても具体的に説明しているため、みなさまの見積に対する課題解決へ貢献ができると考えております。

　本書の見積手順の説明としては、第2章以降で説明しています。特徴としましては、見積で利用するシステム開発対象の具体的な基本設計を基に、断続的な説明ではなく、一連の見積の流れについて考察事項を織り交ぜながら具体的に説明しています。

　見積手順の大きな流れとしましては、以下の手順になります。

　1. 工数見積
　2. スケジューリング
　3. バッファ追加
　4. 金額見積
　5. レビュー

　**見積金額は、工数見積だけでは算出できません。システム開発の詳細な計画をしたうえで算出した人件費を基に見積金額**を算出します。

なお、本書の見積手法は、作業内容や機能内容を積み上げて工数を算出するボトムアップ見積を採用しています。ただし、それほど複雑なことはしません。

　丁寧に機能や作業を洗い出し、見積工数を導き出し、プロジェクトマネジメントの観点でリスクヘッジをして金額を算出していくだけです。

　ここで、機能の洗い出しの必要性がわかる具体例を挙げます。仮に「パスワードを変更できるようにしてほしい」というお客様からの要望があったとして、機能の洗い出しの有無による見積根拠の情報量の違いを示します。

● 機能の洗い出しをしていない場合
　❖ パスワード変更機能
● 機能の洗い出しをしている場合
　❖ パスワード変更画面
　❖ パスワード変更完了画面
　❖ お客様の要求によってはパスワードリマインダ機能も含まれます
　　◆ パスワード再設定用メール送信画面
　　◆ パスワード再設定用メール送信完了画面
　　◆ パスワード再設定用メール送信機能
　　◆ パスワード再設定画面
　　◆ パスワード再設定完了画面

　上記は極端な例ですが、本書で説明する各工程の手順には、このような見積工数の差を生まないためのさまざまな見積のノウハウが詰まっているので、ぜひ参考にしていただけたら幸いです。

# memo

# 第1章

# 見積のポイント

# 第1章
## 1　見積のポイントの説明の流れ

見積のポイントは、以下の流れで説明していきます。

● 見積の概念
❖ 見積の目的、タイミング、アウトプット、考慮範囲などを説明します。

● 見積方法の概要
❖ 見積方法の概要やフロー、手順概要について説明します。

● 見積のための準備
❖ 見積をするうえで、より正確な見積をするために準備しておいたほうがよい事項について説明します。

● 見積の前提
❖ 見積をするうえで、より実現性が高い計画をするための前提事項について説明します。

● 見積のポイントのまとめ
❖ 見積のポイントで説明した内容をまとめます。

本章に記載している見積のポイントの内容は、見積レビュー時に
チェック観点としても利用できます。

　たとえば、見積レビュー時に多い指摘内容として次のような内容が
あります。

●請負開発の見積をしているが、作るシステムがはっきりしていない
　ので、完成責任を負える計画ができていない

　❖作るシステムをはっきりさせて、精度の高い計画を作り、見積を
　　しましょう。

●見積工数が厳しすぎて、全員超上級エンジニアでないと構築でき
　ず、現実的な計画ができていない

　❖現実的な体制で、実現性が高い計画を作り、見積をしましょう。

　本章ではこれらのようなリスクを防ぐための具体的なポイントを記
載しています。また、大切なポイントは、他章でも重ねて説明します。

# 第1章
# 2 見積の概念

## ⚙ 1.2.1 見積の目的

　システム開発会社にとって、見積のおもな目的は、お客様へシステム開発費用の金額を提示し、内容を説明し、金額と内容の合意を取ることになります。

　なお、本書において、見積の目的は「お客様にシステム開発にかかる費用と工数と内容をできるかぎり高い精度で提示すること」にフォーカスを当てています。理由は**精度が高ければ計画性があり根拠があるため、お客様が納得しやすくなる**ためです。

　さて、当たり前の話ですが、見積の精度が低いと計画が成り立ちません。たとえば、システム開発では見積工数に基づいて開発をするため、見積工数が足りない場合はスケジュール通りに開発することが難しくなります。

　また、お客様は見積の内容でビジネスを検討するため、後から想定外の金額に変更になったり、スケジュール通りにシステムが完成しなかったりすると困ります。

　よって、システム開発会社は精度の高い見積をする必要があります。

　そのためには、システム開発に必要な作業を詳細に洗い出し、精度の高い工数を抽出し、スケジューリングをしたうえで、ある程度のリスクに対応できるバッファを追加し見積金額を算出し、レビュー後に見積を提示する必要があります。

**1.2.2 見積のタイミング**

　システム開発において、お客様に見積金額を伝えるタイミングはおおむね以下となります。

●要求内容ヒアリング後の概算見積

●要件定義（基本設計含む）後の詳細見積

●お客様と内容調整後の正式見積

　要求内容ヒアリング後の概算見積においては、要求内容の精度次第で見積の精度が変わってきますが、詳細な見積を提示することは難しく、大概金額の幅をもたせて、見積金額を提示することになります。

　要件定義後の詳細見積においては、まず、本書では要件定義時に基本設計まで含めることを推奨しています。理由は要件定義後に行われる開発工程は請負契約で進めることが多く、精度の高い計画と見積が必要になるためです。開発内容がはっきりしていれば精度の高い見積金額を提示することができます。

　基本設計後の詳細見積の説明後、お客様と金額調整や機能調整したあとに正式見積となります。

　本書では、基本設計後の詳細見積の手順を中心に説明していきます。なお、基本設計前の概算見積方法や、金額調整や機能調整については、第3章のケーススタディで説明しています。

**1.2.3 見積のアウトプット**

　システム開発における見積のアウトプットの内容は、お客様との調整次第ですが、基本的に以下となります。

● 見積書

　❖ 見積金額、支払条件、見積有効期限などを記載した見積のメインとなる資料

● 見積明細

　❖ 見積書を補足するための資料で、構築内容や作業内容などを明細化した一覧資料

● 提案資料

　❖ お客様に「問題なくシステム開発ができる」「見積の内容が問題ない」と理解いただくための提案資料で、システム概要、対応内容、体制図、会議体定義、スケジュールなどを記載する

　本書では、これらの見積資料に必要な「見積工数」と「見積金額」の算出方法を中心に説明していきます。

**1.2.4 見積の考慮範囲**

　システム開発における見積の範囲は、お客様との調整次第ですが、システム開発に関連する全コストです。

●要件定義費

●システム開発費

●保守運用費

●インフラ購入費・使用費

●サービス使用費 など

　本書ではシステム開発費の見積を中心に説明していきます。そのほかの見積については、第3章のケーススタディにて具体的に説明しています。

　また、提案時には通常、上記すべての見積金額を提示することが多いです。理由は、お客様は予算の準備を進めるためにシステム導入に必要な全体的な見積金額が必要になるためです。

## 第1章 3 見積方法の概要

### 1.3.1 見積方法の概要

　見積金額の算出方法としては、見積対象の開発作業工数を算出し、必要となる人月数を割り出し、その人月数に対し所定の売単価を掛けることで算出することができます。要するに、見積金額は基本的に人件費です。

　本書における工数の見積手法としては、「工数がイメージできるくらい詳細な作業」をできるかぎり多く洗い出し、その「作業」に対し、工数を算出する「ボトムアップ見積」となります。

　そのほかの見積方法には、過去事例から工数を類推する「類推見積」やファンクションポイント法のように係数で工数を計算する「係数モデル見積」もありますが、正確な計画ができてしまえば精度が一番高い見積方法は「ボトムアップ見積」といわれています。

　なお、本書では部分的にそのほかの見積方法の要素も利用しています。たとえば、見積の軸となる設計工数とPG工数を算出した後は、テスト工程の一部の工数算出では係数により工数を算出しています。また、工数見積の際に、他事例の見積を使って類推しやすくなるように、開発方法をテンプレート化して、ノウハウの蓄積化をすることを推奨しています。

　さて、本書の見積方法の特徴としましては、システム開発の詳細な計画やスケジューリングは見積作業内でおおむね実施してしまう方針です。

　ガントチャートの作成まではしませんが、人日レベルの小日程計画

が作成できる作業内容と作業工数を算出し、簡易的なスケジューリングをします。

　見積の段階で詳細な計画をする理由は、基本的に、最終的な見積時の計画や金額で、開発時の受注金額、体制やスケジュールが決まってしまうため、契約後にもっと人員や期間が必要になっても困るためです。

　基本的に受注金額は、見積金額で決まり、見積金額は見積工数で決まります。そのため、見積時の計画通りにプロジェクトが進まなければ、プロジェクトが炎上したり赤字になったりしてしまいます。

　よって、お客様や開発メンバーのことを考えると、見積作業内でシステム開発の詳細な計画やスケジューリングまで慎重に実施する必要があります。

　本書の見積方法は、システム開発の作業を詳細に洗い出すことにより精度の高い見積工数を算出し、リスクヘッジを加味したスケジューリングをして、さらにシステム開発の計画が安全かどうか慎重にシミュレーションやレビューをしたうえで導き出された見積工数で金額を算出します。
　本書の見積方法は、作業の詳細な洗い出しができれば、さまざまな技術構成やさまざまな規模のシステム開発の見積にも応用が利きます。

## 1.3.2 見積のフロー

システム開発の見積は、以下のフロー図の手順で実施します。

■見積のフロー図

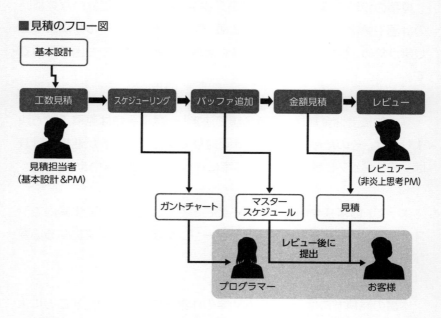

細かいこと抜きで、上記内容のフローに従い見積するだけでも見積の精度は高くなると考えています。フローの内容は至ってシンプルです。逆に、精度の低い見積は、単純に手順に漏れや誤りがあることが多いです。特に、以下の手順の漏れに該当することが多いです。

●詳細見積が必要な場面で基本設計ができていないなかで見積をする
●スケジュールや計画を丁寧にしていない
●スケジュールにバッファがない
●見積レビューをしないで見積をお客様に提出する

**1.3.3 見積の手順概要**

見積の各手順の概要です。

1. 工数見積

❖基本設計をベースに見積をします

❖画面やバッチなどの機能ごとに、その機能に含まれる処理まで記載します

❖担当者にそのまま依頼ができる内容と工数にします

❖機能の工数は、工程ごとに整理します

2. スケジューリング

❖工数を工程ごとに整理した見積情報を基にスケジューリングします

❖アウトプットが簡易的な内部用スケジュールになります

3. バッファ追加

❖内部用スケジュールを基にバッファ期間を追加します

❖アウトプットが、マスタースケジュールになります

4. 金額見積

❖バッファ追加まで完了した工数情報を基に、人件費を加味して見積金額を算出します

❖アウトプットが、見積金額になります

5. レビュー

❖お客様に提案する前に、見積レビューをします

❖レビュアーは非炎上思考のPMに担当してもらいます

❖アウトプットが、お客様に提示できる見積金額になります

# 第1章
## 4 見積のための準備

###  1.4.1 基本設計

　システム開発における見積に必要なものは「**基本設計**」です。そのため、要件定義で基本設計までを済ませることを推奨します。体裁に時間をかける必要はありません。インターフェースと機能、非機能をお客様と合意できたら十分です。

　さて、基本設計がないということは、なにを作るかはっきりしていないため見積精度は下がります。そのため、システム開発の見積は基本設計を決めてから実施すべきです。

　なお、基本設計ができていない状況でシステム開発をスタートする現場がありますが、作るものがはっきりしていないため、工数がどのくらいかかるか調整が難しいため計画性が低く、とても難易度が高いプロジェクトになります。また、作るものを決めながらプロジェクトが進むため、手戻りが発生したり、作業の待ちが発生したりして、非常に非効率で計画性が低いです。

　それでも、基本設計がない状況や、基本設計が途中の状況で開発がスタートすることはあります。それは、システム開発会社もお客様も、常に十分な体制や条件が整っているわけではないためです。たとえば、稟議が通らず、要件定義がスタートできない。しかし、システム稼働日が決まっていて開発は進めていないといけない場合などがあります。そのような状況では、本来は開発をスタートすべきでないですが、開発メンバーをすでに集めていた場合では、無駄にコストが発生し続けるため、なにも進めないわけにはいかず、現実的には開発がスタートすることがあります。

**1.4.2 基本設計がなければ仮の基本設計**

　基本設計ができていない状況で、どうしてもシステム開発の見積が必要な場合は、要件となる業務が十分に回り、機能内容はある程度潤沢な仕様にした「**仮のシステムを想定した基本設計**」を作成し、お客様と仮の基本設計で開発を始めることを調整します。

　仮の基本設計ができれば、基本設計ができていない状況でも仮の基本設計に対して精度が高い見積や計画は作ることができます。

　また、見積書の前提条件欄に、「基本設計が完了していないため、仮の基本設計で見積をしているが、想定を上回る仕様変更が起きた場合は追加請求をする可能性がある」旨を記載します。

　このようにすれば、仕様変更により開発工数が大幅に変化した場合は、「前提となる仮の基本設計で吸収しきれない仕様変更のため追加の費用がかかる」旨を説明し、追加請求やリスケジューリングの交渉をすることが可能です。

　逆に、なにも基準や合意がないなかで開発をする場合、追加請求が必要になっても追加請求の調整が難しかったり、そもそもの計画の精度が粗かったりするため、プロジェクトがコントロールできない状況になります。

　よって、見積の明細情報には、基本設計レベルの内容が必要になります。

## ⚙ 1.4.3 テンプレートシステムの用意

　システム開発において、1からフルスクラッチで開発したり、今まで使ったことがない新しい技術で開発したりすることは、メンバーにとってモチベーションが上がるため、できればやりたいことです。

　ただし、1から新しいシステムを開発する際には、使い慣れた技術を基に開発する場合に比べ、多くのリスクがあることを認識する必要があります。

● システムの共通処理やセキュリティなどのリスクが高い非機能を1から作る必要がある
● 調査工数や実現方法に悩む時間がかかりやすく、予定通りに計画を進めることが難しい
● 毎回1から構築すると、機能や品質のノウハウの蓄積性が低くなる
● 毎回1から構築すると、システム開発の技術がバラバラになり、事業全体として開発費も保守費も多くかかる など

　システムを1から作る場合、ディレクトリ構成、ログイン機能、ロギング機能、権限管理機能、セキュリティ機能、CRUD機能の基本構成などについて、調査・検討し、1から構築することになります。最近のフレームワークは非機能についてもはじめから充実していますが、それでも、プロジェクトでいきなり試すには調査工数や実装工数などが読み切れないリスクがあります。

　上記のリスクを加味すると、1から構築する内容にリスク以上の付加価値がないかぎり、使い慣れた技術を基にシステム開発することを推奨します。

　なお、新しい技術を使う場合は、練習してから本番に臨むべきです。

具体的には、あなたの会社のシステム開発事業において、よく作る機能が一通り揃ったテンプレートシステムを用意して、利用に慣れておくことです。

　**システム開発時には、テンプレートシステムを修正や機能追加をする形で開発を行うことを推奨**します。**理由は開発難易度が下がり、品質と予定工数の精度が高まるため**です。

　そして、定期的にテンプレートシステムに対し、拡張性や保守性を高めたり、便利な機能を追加したりしておくのです。これはシステムだけにかぎらず見積資料や設計書もテンプレート化しノウハウを蓄積していくことを推奨します。テンプレートは品質をよりよくしていくためのPDCAツールなのです。

　テンプレートを使った開発手法はほかにもメリットがあります。たとえば、テンプレートは要件漏れが発生しやすい非機能などをカバーしてくれることがあるためリスクヘッジになります。

　また、見積工数が予算内になることは多くないのですが、その際、テンプレートシステムを利用すれば見積工数が少なくなり受注がしやすくなります。

　それでも新しい技術を使って開発する場合はあります。その場合はPoCの工程を挟むか、スケジュールのなかに、明確に先行してプログラムの基盤となる基本機能を作る工程を入れるべきです。できれば多人数で行う業務機能の開発が始まる前に調査して、できるかぎりリスクヘッジをしておきたいです。

# 第1章
## 5　見積の前提

 **1.5.1　見積担当者の条件**

見積担当者の条件は、以下の2点が十分にできる方とします。

- 基本設計が十分にできる必要があります。理由は精度の高い工数見積を作るために、構築内容の詳細な洗い出しが必要なためです。
- プロジェクトマネジメントが十分にできる必要があります。理由は精度の高い計画を作る必要があるためです。たとえば、各工程のリーディングやリスクヘッジの知識と経験が必要になります。

　よって、上記条件に当てはまる方であれば、プロジェクトマネージャー（以下「PM」という）の方でもプロジェクトリーダー（以下「PL」という）の方でも問題ないです。ただし、**システム開発に参加しない方による見積は精度の高い見積ができる方以外は推奨しません。**理由は当事者意識が薄れ、利益を優先し、計画の精度が落ちやすいためです。そのため、お客様や開発メンバーの方々に迷惑をおかけしないような体制にしましょう。

　その他、場合によっては開発メンバーに「どのくらいかかりそうですか？」のように見積工数を聞くことがあると思いますが、見積作業を手伝ってもらう場合は「必要な作業内容」を聞くまでにしてください。**見積工数の算出やスケジューリングは、管理観点の考慮が多いためPMが実施**してください。

　なお、本書の説明においては、見積担当者はPMという前提で話を進めていきます。

**1.5.2 見積レビューをする前に提案しない**

　本書の手順に従って見積をすると、見積工数は増えることが多いのですが、1.5倍くらいに増えることも多々あります。

　原因の多くは、お客様の予算を意識しすぎたうえで、担当PMが開発工数を厳しい工数で見積をするケースや、見積作業の洗い出しが足りていないケースです。

　そして、PMが見積レビュー前に、お客様に間違った見積を伝えてしまうという問題が意外に多く起こります。見積担当者が偉い方だったりレビューを受けたがらない方だったりするとレビューを無視することがあります。

　見積工数が足らなかった場合などは、始めから工数が足らないという計画性のないプロジェクトが始まります。その場合、プロジェクトメンバーが本当に大変な思いをします。

　類似ケースとしましては、提案段階で超概算の見積を提出する場合も同じです。

　超概算の見積とは言え、あまりに大きく見積金額が変わってしまったら、お客様に迷惑がかかりますし、開発工程のプロジェクトメンバーに迷惑がかかる可能性があります。

　見積は責任が重大ですので、**見積は必ず見積レビュー**をしてからお客様に伝えましょう。

### 1.5.3 工数算出時の想定メンバー

工数見積では、想定メンバーを「**要求する技術経験数3年の外部委託先のプログラマー**」にすることを推奨します。

理由は以下です。

● 想定メンバーが誰になっても、計画に大きく影響しないためです。プロジェクト開始の時期は変更される可能性があります。想定していたメンバーが参画できない場合でも、要求する技術経験数3年の外部委託先のプログラマーであれば、なんとか調達できると思います。

● 想定メンバーが途中で変わっても、計画に大きく影響しないためです。メンバーがなにかしらの事情で離任することはよくあります。

● 計画が立てられる範囲でかつ、単価に対しお客様に説明ができる最低限のプログラマーレベルにしたいためです。全員が優秀なプログラマーという前提で計画をしてしまう方がいますが、理想的ですが、現実的ではありません。

逆に、優秀なプログラマーを想定して見積をした場合、次のようなリスクがあります。

● 優秀な人に依存した見積は、依存先がなにかしらの事情で参画できなくなれば、見積工数と実態が合わなくなり、計画が破綻します。
　❖ 優秀なプログラマーとはいえ、常に工数が圧縮できるとはかぎり

ません。優秀なプログラマーは、技術力や開発スピードだけではなく、お客様に適した高品質なシステムを作る方々なので「考えている量」が違います。極端なことを言えば、優秀なプログラマーが休憩で散歩に出掛けている時間などがとても大事で、そういった時間に仕様の問題点を発見したり、難易度が高いプログラムを作り上げたりするものです。余裕がなければ高品質なシステムは作れません。

● 現実的に、仮に10人集める必要があるプロジェクトの場合、10人全員優秀なプログラマーが集まることは、かなり確率が低いです。さらにいえば、そもそも要求する技術経験が3年あるメンバーが集まらない場合もあります。

　もちろん、経験値が高いメンバーを前提にプロジェクトを計画することはありますが、工数見積時の基準としては、特定のメンバーに依存した見積は推奨しません。

## ⚙ 1.5.4 プログラマーに依頼できる記載内容

　見積の明細は、**プログラマーにそのまま作業依頼できる記載内容で記述できていれば、見積工数のミスは減ります。**

　見積の段階で、そんなに細かい粒度が必要か？と思うかもしれませんが、仮にざっくりした見積のせいでトータル5人日のミスがあった場合、誰がどうやってリカバリをしたらよいか考えたら、細かい粒度の必要性がわかると思います。さらに、慣れてくれば見積はそこまで時間はかかりません。

　なお、バッファ工数は想定外の事態に利用したいため、丁寧な見積をしなかったことが原因で使いたくはありません。

　見積のミスは、お客様に迷惑をかける可能性があります。さらには、プログラマーの私生活に迷惑をかける可能性があります。

　そのため、見積はとても慎重に実施する必要があります。システム開発を十分に経験し、見積のミスがどれだけの利害関係者に迷惑がかかるか十分に理解した人が実施しましょう。

　また、**見積工数に厳しいお客様に対して、工数について説明が必要になることがありますが、1人日レベルで説明できる根拠を記載していれば、自信をもって正しい見積工数を説明しきることが可能ですし、なにを言われても、簡単に見積工数を減らせられなくなります。**

## 1.5.5 プログラマーに失礼のない工数

　プログラマーに、厳しい工数で作業を依頼するケースが、まだまだ多くの現場で発生していると思います。

　具体的には、お客様の要望と予算を優先しすぎるあまり、見積工数を減らしたり、余裕がない計画にしたりするケースです。

　プログラマーが余裕をもって対応できる工数は、成功する確率が高いシステム開発の基準です。当然ですが、工数に余裕がない場合は、品質やスケジュールに影響します。

　その他、プロジェクトが始まれば、開発メンバーがインフルエンザやコロナにかかったり、場合によっては退職をしたりと、アクシデントが発生する場合があります。そうした場合、余裕がないと計画は破綻します。

　また、計画時では、設計やプログラミングなどの工程ごとの工数は、人が変わっても対処できる工数にしましょう。

　たとえば、テスト実施担当者はまずはテスト設計書を読み込む作業から始まります。

　そのため、どれだけ作業量が少ない作業だとしても、1.0人日を最小工数にするなどの余裕をもった見積工数にすることを推奨します。なお、最小工数は開発の規模や内容、PMのリーディング量によって調整してください。

　**見積工数を考えるときは、胸を張って、プログラマーに工数の根拠を説明できるようにしてください。**

## 1.5.6 簡単なシステムでも慎重に見積

　難易度が低い簡単なシステム開発でも、プロジェクトが進むなかで、なにかしらの問題が発生すると思います。

　そのようなときに助けてくれる存在が、「バッファ工数」です。

　逆に、はじめから無理な計画をしていれば、なにかトラブルがあった場合、対処に限界があります。しかし、現実ではなにかしら問題は起きるため、無理な計画は破綻しやすいです。

　仮に3人日のロスが発生した場合、誰がいつどうやって対応するのでしょうか。

　そのため、100人月の仕事も10人月の仕事でも、見積ミスにより開発メンバーの私生活にできるかぎり影響しないように、慎重に慎重を重ねて、見積をする必要があります。

　**どのようなシステム開発の見積も真剣に実施する必要があります。**

**1.5.7 こだわりすぎない**

　見積作業でも開発工程でも言えることですが、技術や体裁などにこだわりすぎて、時間が足りなくなり、納期に間に合わなかったり赤字になってしまったりするプロジェクトを何度も見ています。

　たとえば、見積時に時間がないなかで、資料の体裁にこだわりすぎたため、肝心の工数見積が十分に検討できないケースや、システム開発工程において、約束も計画もしていないマストでない作業をマストとして実施し、スケジュールが厳しくなり納品日を守れないケースです。

　過去の経験上、びっくりするぐらい優秀なメンバーが集まっていても、お客様との約束を守れない事態が簡単に発生します。こだわりすぎて計画を見失う場合、見積が正しくてもプロジェクトが失敗することがあります。

　お客様のためにたくさんのサービスを実施したい気持ちはわかりますが、約束を守れないことが一番お客様に迷惑がかかります。

　見積では、約束を確実に守れる計画を立てることに集中しましょう。そして、システム開発工程では約束を確実に果たすことに集中しましょう。

　システム開発は、システム開発会社のメンバー、お客様、他システムなどたくさんの利害関係者がいます。精一杯真剣に計画をしてもイレギュラーな問題は発生します。そのため、簡単なシステム構築でも大規模システム構築でも、**シンプルにお客様と約束した納品物を納品日までに納品することに集中**しましょう。

# 第1章
## 6 見積のポイントのまとめ

　ここまで見積のポイントについて説明してきましたが、本章のまとめとして、見積をするうえで大切な準備と前提について改めて説明します。

　見積においては精度の高い工数を算出することも大事ですが、あわせて、見積通りにプロジェクトが進むためのリスクヘッジも大切になります。

　炎上プロジェクトの原因の多くは、見積や計画が間違えているか、見積通りにプロジェクトを進められていないかのどちらかになります。

　本章において、もっとも伝えたいことは、見積通りにプロジェクトを進めるために「**システム開発の難易度を不必要に上げない**」ことです。

　言い換えれば、失敗するプロジェクトの多くは、不必要に難易度が高いプロジェクト運営をしていることになります。

　たとえば、見積において、想定するアサインメンバーに全員上級プログラマーを前提にした厳しい見積工数にしたり、過去に何度も作った同じようなシステムを毎回1からフルスクラッチで構築したりすることです。

　実現方法の難易度は、高くても低くても、お客様へ納品するシステムの付加価値は変わりません。

それでは、改めて大切な見積のポイントを再掲します。

● 見積のための準備
　❖ 作るものをはっきりするためと、精度の高い工数を算出するために基本設計を実施してから見積をする
　❖ 基本設計がなければ仮の基本設計を作り、その設計を前提として見積をする

● 見積の前提
　❖ 見積は基本設計とプロジェクトマネジメントが十分にできる方が実施すること
　❖ 見積レビューをする前にお客様に提案しないこと
　❖ 工数算出時のメンバーの想定スキルを上げすぎないこと
　❖ プログラマーに依頼できるレベルの計画をしたうえで見積をすること
　❖ プログラマーに説明できる工数で見積をすること
　❖ 簡単なシステムでも慎重に見積をすること
　❖ 納期を守れなくなるリスクを冒してまで、技術や体裁にこだわりすぎないこと

　このように箇条書きにしてみると簡単な内容なのですが、炎上するプロジェクトの多くの原因は上記のような準備や前提を守らず、開発の難易度を上げて失敗しています。準備や前提なども例に挙げたこと以外でもあると思いますが、**ポイントは難易度を上げずに慎重に計画**をすることです。また、**お客様に見積内容を説明し納得してもらうためのポイントとしては、見積の記載内容が、プログラマーに作業依頼ができるくらい詳細な内容である**ことです。

# memo

# 第2章

# 見積の手順

# 見積手順の説明の流れ

見積の手順は、以下の流れで説明していきます。

1.見積手順の説明で利用する見積対象となるシステムの内容説明

●システム概要の説明
　❖POSデータを加工するバッチとWebで売上データを閲覧するシ
　　ステムについての説明です。

●基本設計の内容説明
　❖POSデータの自動加工バッチ
　❖売上Webアプリケーション
　❖各画面の説明
　❖画面遷移の説明
　❖ER図の説明
　❖基本設計の大切さの説明

2.見積の手順についての説明

　次の見積フローに沿って、工数見積から最終的な見積金額を算出す
るまでの手順を詳細に説明していきます。

■ 見積のフロー図

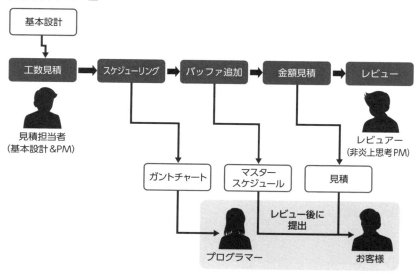

見積手順は、以下の工程ごとに説明していきます。

1. 工数見積
2. スケジューリング
3. バッファ追加
4. 金額見積
5. レビュー

3. 見積手順のまとめ

見積手順で大切なポイントのまとめをします。

# 第2章 見積の説明に利用する基本設計

**2**

## 2.2.1 システム概要

今回、見積手順の説明で利用する見積対象は、小売業向けの「売上閲覧Webシステム」の開発です。システム概要としては、売上データを加工して、売上高をWEBブラウザで表示するシステムです。

■ システム概要図

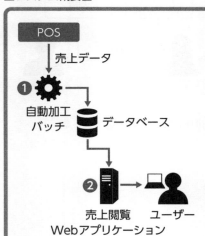

### システムの流れ

❶POSから売上データを受信し、Webでスムーズに閲覧できるように、売上データを加工し、データベースに保存する
❷一般ユーザーに、期ごと・店舗ごとの月別売上データを表示する

### 前提

❶Webアプリケーションは20名が社内にて利用とする
  － アクセス数は1日あたり全体で約200回
❷Webアプリケーションの利用媒体は以下であり、各々1種類のみとする
  － 会社で決められた所定のPC
  － 会社で決められた所定のブラウザ

なお、基本設計の内容は、機能概要とインターフェース定義を中心として、本書の見積手順の説明に必要な範囲に絞ったシンプルな内容にしています。細かい非機能要件や言語などの技術要素は、論点が増えすぎて、見積の手順の説明に集中できなくなるため、必要な範囲のみを言及します。

また、前提として、基本設計内容はお客様や関係者と合意を得ていることとします。

## 2.2.2 基本設計（①自動加工バッチ）

自動加工バッチの基本設計です。

最小限のシンプルな機能概要とインターフェース定義です。

■自動加工バッチ

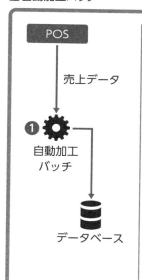

- **機能概要**
  - POSの売上データから、月別店舗別の売上を導出しデータベースに保存する
  - POSは当該システムの所定のディレクトリにファイルを配置する
  - 15分ごとに、当該バッチを起動する
  - 過去データの移行にも利用可能とする
  - エラー発生時のリカバリにも利用可能とする

- **インターフェース定義**
  - POSからの売上データ
    - ファイル形式
      - CSV形式/ヘッダー行なし/カンマ区切り(ダブルクォーテーションつき)
      - 文字コード UTF-8/改行コード CRLF
      - ファイル名ルール pos_yyyyMMddH-Hmmssfff.csv
    - 項目
      - 取引ID/必須/半角数字/1〜20桁
      - 取引明細番号/必須/半角数字/1〜10桁
      - 売上日時/必須/yyyyMMddHHmmssfff
      - 品目ID/必須/半角英数字/1〜10桁
      - 店舗ID/必須/半角数字/1〜10桁
      - 売上金額/必須/半角数字/1〜10桁
      - 売上数量/必須/半角数字/1〜10桁

　上記の定義内容があれば、最小限の情報ですが、ほかの基本設計の内容も合わせることでシステム開発工程において、コーディングに必要な機能設計は作成できます。

### 2.2.3 基本設計 (②売上閲覧Webアプリケーション)

売上閲覧Webアプリケーションの基本設計です。
最小限のシンプルな機能概要と機能一覧です。

■ 売上閲覧Webアプリケーション

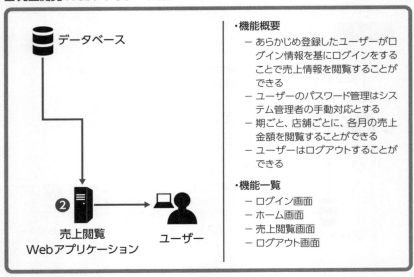

売上情報をブラウザで検索し表示するシステムです。売上情報は、
自動加工バッチで売上閲覧Webアプリケーションが利用しやすいよ
うに、あらかじめPOSデータを加工しておいた売上情報データを利用
します。

## 2.2.4 基本設計（画面）

ログイン画面の画面定義です。

■ログイン画面

- ・機能概要
  - ｰ あらかじめ登録したユーザーがログイン情報を基にログインをすることで売上情報を閲覧することができる
- ・遷移定義
  - ｰ 遷移元
    - ・ログアウト画面のリンク
    - ・ログイン必須の画面で未ログインでアクセスした場合
  - ｰ 遷移先
    - ・ホーム画面
- ・初期表示処理
  - ｰ 特になし
- ・機能定義
  - ｰ ログインボタン
    - ・項目定義のバリデーションチェック処理を行う
    - ・ログインIDの存在チェックを行う
    - ・パスワードの一致チェックを行う（平文ではなくハッシュ化した文字列での比較）
    - ・セッションの再生成
    - ・チェックに成功したらログインをし、ホーム画面に遷移する
  - ｰ CSRF対応
    - ・セッショントークンの生成と、リクエストトークンとセッショントークンの比較チェックをする
- ・項目定義
  - ・ログインID/必須/半角英数字記号/1〜20桁
  - ・パスワード/必須/半角英数字記号/1〜20桁

　シンプルなログイン画面です。見積作業の説明がわかりやすくなるように、パスワードを忘れた場合に利用するパスワードリマインダ機能などは含めておりません。

ホーム画面の画面定義です。

## ■ホーム画面

- ・機能概要
  - ログイン後に遷移し、各機能へのリンクを配置する
  - 連絡先などを表示する
- ・遷移定義
  - 遷移元
    - ・ログイン画面
    - ・ヘッダー部のシステム名に設置したリンク
  - 遷移先
    - ・ログアウト画面
    - ・売上閲覧画面
- ・初期表示処理
  - 「ようこそ、○○さん」にログインユーザー名を表示する
- ・機能定義
  - ヘッダー部品の機能となるが当該機能に集約記載
    - ・「システム名」をクリックすると、ホーム画面に遷移する
    - ・「売上閲覧」をクリックすると、売上閲覧画面に遷移する
    - ・「ログアウト」をクリックすると、ログアウトし、ログアウト画面に遷移する
- ・項目定義
  - ユーザー名／ユーザーテーブル.ユーザー名／文字列／1～20桁

シンプルなホーム画面です。今回利用する売上閲覧Webアプリケーションにおいては、メインとなる機能は売上閲覧画面だけですが、見積の説明の都合上で追加しています。

なお、実践において、メイン機能が仮に1画面だとしても、ホーム画面があれば、Webシステムの拡張性が高くなるので、ホーム画面の設置はお勧めします。せっかくWebシステムを作るのに、拡張性がない構成にしてしまうことは、Webシステムを有効活用できていないため、お客様にとってもシステム開発会社にとっても、機会損失をしていると考えられます。

売上閲覧画面の画面定義です。

■ 売上閲覧画面

・機能概要
　− 期ごと、店舗ごとに、各月の売上金
　　額を閲覧することができる

・遷移定義
　− 遷移元
　　・ヘッダー部の「売上閲覧」に設置
　　　したリンク
　− 遷移先
　　・ログアウト画面
　　・ホーム画面

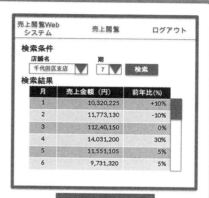

・初期表示処理
　− 検索条件の店舗名に店舗マスター
　　から店舗リストをセットしておく
　− 検索条件の期に期マスターから期リストをセットしておく
　− 検索条件の店舗名にログインユーザーが所属する店舗をデフォルト表示しておく
　− 検索条件の期に当期をデフォルト表示しておく
　− デフォルトの検索条件で検索結果を表示しておく

・機能定義
　− 検索ボタン
　　・売上データから検索条件に一致する各月の売上金額を取得し表示する

・項目定義
　− 店舗名／店舗テーブル.店舗名／文字列／1〜50桁
　− 期／期テーブル.期／数値／1〜10桁
　− 月／月テーブル.月／数値／1〜2桁
　− 売上金額 (円) ／売上テーブル.売上金額／数値／1〜15桁
　− 前年比 (%) ／当年と前年の売上金額の比率を導出

　シンプルな売上閲覧画面です。実際のシステムでは、検索項目や検索結果がもっと増えたり、売上一覧はグラフで表示したり、ダウンロード機能がついたりします。

　機能内容としては、見積の手順の説明で必要な範囲のシンプルな機能にしておりますが、この売上一覧を表示するためには、1期分の売上データを抽出したり、売上金額の前年比を表示したりするため、シ

ンプルな画面とはいえ、担当者によっては、データ欠損時を考慮した設計や一覧表示に関するSQL、コーディングのフォローが必要になる可能性はあります。

　ログアウト画面の画面定義です。

**■ログアウト画面**

・機能概要
　－ ログアウト処理後、ログアウト画面を表示する

・遷移定義
　－ 遷移元
　　・ヘッダー部の「ログアウト」に設置したリンク
　－ 遷移先
　　・ログイン画面

・初期表示処理
　－ 特になし

売上閲覧Webシステム

ログアウトしました。

ログイン画面は<u>こちら</u>から

・機能定義
　－ ログアウト処理
　　・セッションを初期化する
　　・ログアウト処理後、ログアウト画面を表示する
　－ ログイン画面へのリンク
　　・リンクをクリックすると、ログイン画面に遷移する
　－ CSRF対応
　　・セッショントークンの生成と、リクエストトークンとセッショントークンの比較チェックをする

・項目定義
　－ 特になし

　シンプルなログアウト画面です。シンプルですが、ログアウト機能では、セッションを初期化したり、CSRF対策をしたり、セキュリティ対策が必要な画面ですので、油断はできない機能です。
　セキュリティに関する機能は、フレームワークや関連するライブラ

リにすでに用意されていることが多いですが、その場合でも、無意識に利用するのではなく、どのセキュリティ対応をどこで実施しているかということを確認して利用することが大切です。

##  2.2.5 基本設計（画面遷移図）

シンプルな画面遷移図です。

■画面遷移図

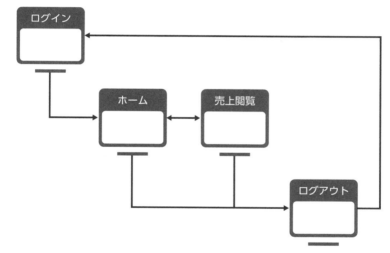

画面遷移図の説明をします。

まず、売上閲覧Webアプリケーションは、ユーザーがログインすることにより利用できます。

次に、画面遷移の流れとしましては、ユーザーがログインをすると、ホーム画面に遷移します。ホーム画面から売上閲覧画面に遷移することができます。

また、ログイン後に閲覧ができるホーム画面と売上閲覧画面からログアウトをすることができます。

## 2.2.6 基本設計 (ER図)

システム全体の簡単なER図です。

■ER図

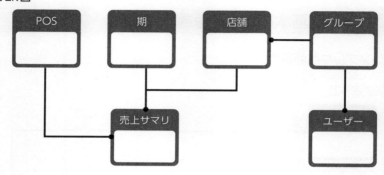

ER図の説明をします。

売上閲覧Webシステムにとっては、売上サマリテーブルがトランザクションテーブルとなり、その他はマスターテーブルとなります。なお、POSテーブルは一時テーブルです。売上サマリテーブルは、自動加工バッチにて、POSデータを格納したPOSテーブルのデータを基に、店舗ごとで年月ごとの売上サマリテーブルを作成します。なお、売上サマリテーブルを作成する際に、期情報や店舗情報のキー値を売上サマリテーブルの属性情報として設定します。

 ## 2.2.7 基本設計の大切さを理解する

ここまで、見積工程の説明をわかりやすくするために、シンプルな機能構成にしていますが、見積前の基本設計の大切さをもう少し感じてもらうため、第1章でも少し触れていますが、試しに要件に「パスワードを変更できるようにする」という概念を追加してみます。

■ 基本設計 (パスワード変更あり)

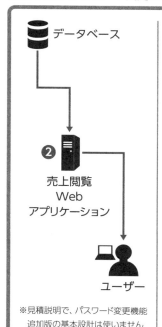

データベース

売上閲覧
Web
アプリケーション

ユーザー

※見積説明で、パスワード変更機能
　追加版の基本設計は使いません

・機能概要
　‐ あらかじめ登録したユーザーがログイン情報を基
　　にログインをすることで売上情報を閲覧すること
　　ができる
　‐ 期ごと、店舗ごとに、各月の売上金額を閲覧する
　　ことができる
　‐ ユーザーはログアウトすることができる
　‐ ユーザーはパスワードを変更することができる
　‐ ユーザーはパスワードを忘れた場合、パスワード
　　を再設定することができる

・機能一覧
　‐ ログイン画面
　‐ ホーム画面
　‐ 売上閲覧画面
　‐ ログアウト画面
　‐ パスワード変更画面
　‐ パスワード変更完了画面
　‐ パスワード再設定用メール送信画面
　‐ パスワード再設定用メール送信完了画面
　‐ パスワード再設定用メール送信機能
　‐ パスワード再設定画面
　‐ パスワード再設定完了画面

　お客様との調整次第ですが、「パスワードを変更できるようにする」
という概念の追加だけで、機能一覧の機能数が大きく増えることがあ
ります。

　この画面数分の工数を見積に計上し忘れたら大変です。見積前に、
基本設計をお客様の合意も含めて完了しておかないと、見積時に正確
に画面数は洗い出せないため、**システム開発の見積をする前に、基本
設計をすることは大切**です。なお、基本設計は、非常に重要ですが、細
かすぎて時間が足りなくなり大枠を外すこともよくないので、**イン
ターフェースや機能、非機能を中心に定義し、関係者との合意形成を
優先**しましょう。

# 第2章 3 工数見積の手順

## 2.3.1 工数見積の説明の流れ

　それでは、本項より見積フローの工程ごとに、具体的な見積手順の説明をしていきます。まずは、見積フローにおける最初の工程「工数見積の手順」を説明していきます。

■見積のフロー図（見積工数の手順）

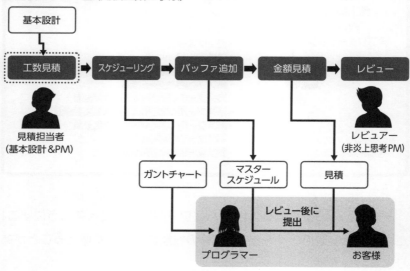

　**工数見積のインプットは、基本設計**です。**基本設計の情報を基に工数の見積**を算出します。**工数見積のアウトプットは、詳細な機能内容とその機能ごとの見積工数**です。そして、導き出した詳細な見積工数を基に、システム開発の工程ごとの工数に整理することができます。次工程では、整理した工程ごとの見積工数を基にスケジューリングをしていきます。

工数見積は、以下の流れで説明します。

● 基本設計を基に詳細な工数見積をする

● 機能内容に対し、さらに作業指示レベルの具体的な内容を補足する

● 補足した機能内容で工数を算出する

● テンプレートシステムを利用することのメリットを説明

● 開発全体の詳細見積を確認

● 工程ごとに整理した見積を確認

● テスト工数の算出方法を説明

● 工数見積のポイントのまとめを説明

　システム開発における見積金額は基本的に人件費です。人件費は人員をどのくらいの期間アサインするかで算出できますが、正確な工数算出と正確なスケジュールを作ることで、より正確な人件費を算出することができます。

　**工数見積の手順では、正確な工数を算出するための手順を説明**します。

　また、これから説明する**工数見積の手順で作り出す詳細な機能内容があれば、お客様に工数の根拠を説明することが容易**になります。

**2.3.2 基本設計を基に見積をする**

　当章では、前述したシステム「売上閲覧Webシステム」における
「自動加工バッチ」の基本設計を例に工数見積の手順を説明します。

　ポイントとしては、**基本設計を基にして見積を行うことです。構築
内容がはっきりするため工数見積の誤差が大きくなることを防ぐ**こと
ができます。

　以下が自動加工バッチの基本設計です。インターフェースと機能概
要が書かれています。

■基本設計（再掲）

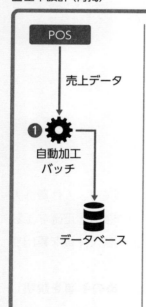

・機能概要
　－ POSの売上データから、月別店舗別の売上を導出し
　　データベースに保存する
　－ POSは当該システムの所定のディレクトリにファイル
　　を配置する
　－ 15分ごとに、当該バッチを起動する
　－ 過去データの移行にも利用可能とする
　－ エラー発生時のリカバリにも利用可能とする

・インターフェース定義
　－ POSからの売上データ
　　・ファイル形式
　　　－ CSV形式/ヘッダー行なし/カンマ区切り（ダ
　　　　ブルクォーテーションつき）
　　　－ 文字コード UTF-8/改行コード CRLF
　　　－ ファイル名ルール pos_yyyyMMddH-
　　　　Hmmssfff.csv
　　・項目
　　　－ 取引ID/必須/半角数字/1～20桁
　　　－ 取引明細番号/必須/半角数字/1～10桁
　　　－ 売上日時/必須/yyyyMMddHHmmssfff
　　　－ 品目ID/必須/半角英数字/1～10桁
　　　－ 店舗ID/必須/半角数字/1～10桁
　　　－ 売上金額/必須/半角数字/1～10桁
　　　－ 売上数量/必須/半角数字/1～10桁

なお、今回のシステム開発において、お客様へ納品する成果物は以下とします。工数見積の検討要素として必要な情報です。

❖機能設計書
❖テーブル定義書
❖プログラム

それでは、基本設計の記載内容を基に以下のような機能ごとの見積工数の表を作ります。この段階で試しに、機能内容を基に作業をイメージして見積をしてみます。なお、設計とPG以外は1行目にまとめて記述します。また、テスト工数の算出方法は後ほど説明します。

■見積工数の説明（説明ができない例）

※工数は人日、各工程にレビュー含む、設計に調整含む、PGには動作確認含む、UTは単体テスト、ITは結合テスト [以降説明省略]

| 機能内容 | 設計 | PG | UT設計 | UT実施 | IT設計 | IT実施 |
|---|---|---|---|---|---|---|
| POSの売上データから、月別店舗別の売上を導出しデータベースに保存する | 1.0 | 2.0 | 2.0 | 3.0 | 1.0 | 1.5 |
| POSは当該システムの所定のディレクトリにファイルを配置する | 0.5 | 0.5 | | | | |
| 15分ごとに、当該バッチを起動する | 0.5 | 0.5 | | | | |
| 過去データの移行にも利用可能とする（作業は別途計上） | 0.5 | 0.5 | | | | |
| エラー発生時のリカバリにも利用可能とする | 0.5 | 0.5 | | | | |
| 小計 | 3.0 | 4.0 | 2.0 | 3.0 | 1.0 | 1.5 |
| 合計 | | | | | | 14.5 |

さて、見積が終わったら、記載内容がお客様に工数の妥当性の説明ができそうか考えます。説明ができれば問題ありません。ただし、現時点の記載内容では説明がしづらいと思います。

工数の妥当性がよくわからない理由は、機能内容の記載粒度が粗くて、説明が足りていないためです。

なお、機能内容の記載粒度が粗いということは、そもそも基本設計

の内容が問題ではないかと思うかもしれませんが、基本設計ではインターフェースと機能、非機能が定義できていて、お客様や関係者と合意ができていれば大きな問題はありません。

**基本設計が粗い場合は、もう少し機能内容を補足**していきます。

###  2.3.3 作業指示内容を補足する

　機能内容に、開発メンバーに作業指示をするレベルの具体的な内容を補足追記します。

■ 見積工数の説明（説明ができる例、工数調整前）

| 機能内容 | 設計 | PG | UT設計 | UT実施 | IT設計 | IT実施 |
|---|---|---|---|---|---|---|
| POSの売上データから、月別店舗別の売上を導出しデータベースに保存する<br>・トランザクションテーブル作成（設計・作業）<br>・関連マスターテーブル作成（設計・作業）<br>・ファイル読み込み処理<br>・バリデーション処理<br>・売上サマリデータ投入処理<br>・エラー処理 | 1.0 | 2.0 | 2.0 | 3.0 | 1.0 | 1.5 |
| POSは当該システムの所定のディレクトリにファイルを配置する<br>・ファイル移動などのファイル管理処理<br>・ファイル有無チェック、無の場合の処理 | 0.5 | 0.5 | | | | |
| 15分ごとに、当該バッチを起動する<br>・多重起動チェック、エラー時の処理<br>・複数ファイル対応処理 | 0.5 | 0.5 | | | | |
| 過去データの移行にも利用可能とする（作業は別途計上）<br>・過去データも問題なく投入できるように考慮 | 0.5 | 0.5 | | | | |
| エラー発生時のリカバリにも利用可能とする<br>・エラー発生時の起動チェック、エラー時の処理 | 0.5 | 0.5 | | | | |
| 小計 | 3.0 | 4.0 | 2.0 | 3.0 | 1.0 | 1.5 |
| 合計 | | | | | | 14.5 |

今回のように**開発メンバーに作業指示ができるレベルの具体的な補足情報を追記してみると、お客様にもしっかりと説明ができます。**一方で、機能内容の内容で作業イメージをしてみると工数が足りなく感じます。なお、工数が多いと感じる方もいるかもしれませんが、見積における以下の前提を思い出していただけると幸いです。

●想定メンバーは、要求する技術経験数3年の外部委託先
●工程ごとにメンバーが代わる可能性がある
●プログラマーに依頼できる記載内容
●プログラマーに失礼のない工数

### 2.3.4 補足した機能内容で工数を調整する

　**機能内容の補足をした後に、見積工数を調整します。**今回は、工数が足りない印象を受けたため、工数を追加しました。ギリギリの工数やはじめから足りていない工数ではプログラマーに失礼です。また、今回のように**違和感や不安がある場合は工数の調整**をしましょう。なお、この工数補正はバッファ追加ではありません。

**■見積工数の説明（説明ができる例、工数調整後）**

| 機能内容 | 設計 | PG | UT設計 | UT実施 | IT設計 | IT実施 |
|---|---|---|---|---|---|---|
| POSの売上データから、月別店舗別の売上を導出しデータベースに保存する<br>・トランザクションテーブル作成（設計・作業）<br>・関連マスターテーブル作成（設計・作業）<br>・ファイル読み込み処理<br>・バリデーション処理<br>・売上サマリデータ投入処理<br>・エラー処理 | 1.0<br>→2.0 | 2.0<br>→4.0 | 2.0<br>→3.0 | 3.0<br>→5.0 | 1.0<br>→1.5 | 1.5<br>→2.5 |
| POSは当該システムの所定のディレクトリにファイルを配置する<br>・ファイル移動などのファイル管理処理<br>・ファイル有無チェック、無の場合の処理 | 0.5 | 0.5 | | | | |
| 15分ごとに、当該バッチを起動する<br>・多重起動チェック、エラー時の処理<br>・複数ファイル対応処理 | 0.5 | 0.5 | | | | |
| 過去データの移行にも利用可能とする<br>（作業は別途計上）<br>・過去データも問題なく投入できるように考慮 | 0.5 | 0.5 | | | | |
| エラー発生時のリカバリにも利用可能とする<br>・エラー発生時の起動チェック、エラー時の処理 | 0.5 | 0.5 | | | | |
| 小計 | 4.0 | 6.0 | 3.0 | 5.0 | 1.5 | 2.5 |
| 合計 | | | 14.5→22.0 | | | |

「工数見積の手順」の説明はこれで終了となります。工数見積で大切なことは、**メンバーに設計内容の指示ができるように詳細に機能内容を洗い出す**ことです。詳細な機能内容がわかれば、工数の精度が上がりますし、メンバーはもちろん、お客様にも作業内容と工数の妥当性の説明ができます。なお、上記の見積情報があれば、作業内容と人日単位の工数がわかるため、メンバー向けのスケジュールのインプットになりえることがわかると思います。

**2.3.5 テンプレートシステムの利用**

　ここまで、手順を優先して見積手順の説明をしてきたため、敢えて、機能を開発するうえで土台となるテンプレートや基本機能については述べてきませんでした。

　システム開発する内容としては、画面、API、バッチがほとんどだと考えられます。そして、システム開発事業を行う会社はこれからもシステムをたくさん作っていきます。ただし、システムを毎回1から構築する場合、1から構築する際のリスクと毎回戦うことになります。以下にリスクを再掲します。

● システムの共通処理やセキュリティなどのリスクが高い非機能を毎回1から作る必要がある
● 調査工数や実現方法に悩む時間がかかりやすく予定通りに計画を進めることが難しい
● 機能や品質のノウハウの蓄積性が低い
● 毎回1から構築すると、システム開発の技術がバラバラになり、事業全体として開発費も保守費も多くかかる など

　なお、テンプレートを使えばこれらのリスクの逆の内容がメリットとなります。特にノウハウが蓄積されることにより、作業の効率性アップのほかに、見積をする際に、過去実績を参考にしやすくなります。
　見積の手順を実施した後に、過去実績で見積内容をチェックすることで、さらに、見積の精度がアップします。

さて、システム構築を1から構築する場合、前述した見積工数のほかに、以下のようなバッチシステムの基本機能の構築工数が必要になります。なお、機能内容や工数は、システムの規模や内容によって変わってきます。

**■見積工数の説明（バッチの基本機能の工数）**

| 機能内容 | 設計 | PG | UT設計 | UT実施 | IT設計 | IT実施 |
|---|---|---|---|---|---|---|
| 機能作成時の拡張性と保守性を考慮したディレクトリ構成やソース構成を検討し用意する | 0.5 | 0.5 | | | | |
| 機能・非機能で利用するライブラリを検討し用意する | 0.5 | 0.5 | | | | |
| ログ出力の構成を検討し用意する | 0.5 | 0.5 | | | | |
| DB接続、トランザクション管理の構成を検討し用意する | 0.5 | 0.5 | | | | |
| 実行ファイルの移動処理を検討し用意する | 0.5 | 0.5 | | | | |
| セキュリティ対応を検討し用意する | 0.5 | 0.5 | | | | |
| 小計 | 3.0 | 3.0 | | | | |
| 合計 | | | | | | 6.0 |

　システムは構築する時間よりも、保守する時間のほうが長いです。よって、システムはリリース後も機能が追加されたり、仕様変更がされたりします。

　そのため、1から機能を開発する際は、まず、基本機能を構築することを推奨します。もし、**基本機能を構築せずに、いきなり業務機能を構築する場合、保守性や拡張性がないプログラム**になりやすいです。

　そのため、テンプレートシステムがない場合は、本格的な開発が始まる前に、保守性や拡張性を含め、慎重に検討したシステムの基本機能を構築することを推奨します。

　なお、後述する開発全体の見積例には、こちらの基本機能の構築工数も含めています。

**2.3.6 開発全体の見積例**

　以降に、開発全体の見積例として、機能ごとの見積工数を示してい
きます。

■ 開発全体の見積例（自動加工バッチ：再掲）

| 機能内容 | 設計 | PG | UT設計 | UT実施 | IT設計 | IT実施 |
|---|---|---|---|---|---|---|
| POSの売上データから、月別店舗別の売上を導出しデータベースに保存する<br>・トランザクションテーブル作成（設計・作業）<br>・関連マスターテーブル作成（設計・作業）<br>・ファイル読み込み処理<br>・バリデーション処理<br>・売上サマリデータ投入処理<br>・エラー処理 | 2.0 | 4.0 | 3.0 | 5.0 | 1.5 | 2.5 |
| POSは当該システムの所定のディレクトリにファイルを配置する<br>・ファイル移動などのファイル管理処理<br>・ファイル有無チェック、無の場合の処理 | 0.5 | 0.5 | | | | |
| 15分ごとに、当該バッチを起動する<br>・多重起動チェック、エラー時の処理<br>・複数ファイル対応処理 | 0.5 | 0.5 | | | | |
| 過去データの移行にも利用可能とする（作業は別途計上）<br>・過去データも問題なく投入できるように考慮 | 0.5 | 0.5 | | | | |
| エラー発生時のリカバリにも利用可能とする<br>・エラー発生時の起動チェック、エラー時の処理 | 0.5 | 0.5 | | | | |
| 小計 | 4.0 | 6.0 | 3.0 | 5.0 | 1.5 | 2.5 |
| 合計 | | | | | | 22.0 |

■「バッチシステムの基本機能」の見積工数（再掲）

| 機能内容 | 設計 | PG | UT設計 | UT実施 | IT設計 | IT実施 |
|---|---|---|---|---|---|---|
| 機能作成時の拡張性と保守性を考慮したディレクトリ構成やソース構成を検討し用意する | 0.5 | 0.5 | | | | |
| 機能・非機能で利用するライブラリを検討し用意する | 0.5 | 0.5 | | | | |
| ログ出力の構成を検討し用意する | 0.5 | 0.5 | | | | |
| DB接続、トランザクション管理の構成を検討し用意する | 0.5 | 0.5 | | | | |
| 実行ファイルの移動処理を検討し用意する | 0.5 | 0.5 | | | | |
| セキュリティ対応を検討し用意する | 0.5 | 0.5 | | | | |
| 小計 | 3.0 | 3.0 | | | | |
| 合計 | | | | | | 6.0 |

■開発全体の見積例（ログイン画面）

| 機能内容 | 設計 | PG | UT設計 | UT実施 | IT設計 | IT実施 |
|---|---|---|---|---|---|---|
| ユーザー関連のテーブル作成 | 0.5 | 0.5 | 1.5 | 2.0 | | |
| 当該画面の基本プログラムファイルの準備（疎通まで含む） | 0.0 | 0.5 | | | | |
| 画面作成<br>・画面イメージに沿って構築 | 0.5 | 0.5 | | | | |
| ログイン処理<br>・項目定義のバリデーションチェック処理を行う<br>・ログインIDの存在チェックを行う<br>・パスワードの一致チェックを行う（平文ではなくハッシュ化した文字列での比較）<br>・セッションを再生成する<br>・セッションにログイン情報を登録する<br>・上記処理完了後、ホーム画面に遷移する<br>CSRF対応<br>・セッショントークンの生成と、リクエストトークンとセッショントークンの比較チェックをする | 1.0 | 1.5 | | | | |
| 小計 | 2.0 | 3.0 | 1.5 | 2.0 | | |
| 合計 | | | | | | 8.5 |

　ログイン機能はセキュリティについての知識が必要だったり、セッション管理の考慮が必要だったりするので、PMは丁寧にリーディングする必要があります。たとえば、ログイン情報のバリデーションにおけるIDの長さや文字種などのチェックでは、エラーメッセージを「ログインIDは20桁以内で入力してください」ではなく、「ログインに失敗しました」などの曖昧な内容にします。サイトの攻撃者にログイン情報のヒントを与えたくないためです。また、セッションハイジャック対応のセッションIDの再生成が必要です。

　ログイン機能は、Webシステムではよく利用される機能であり、セキュリティに関連する処理が多いため、プロジェクトの度に毎回1から作ることは毎回セキュリティ対策の対策漏れのリスクと戦うことになるため、テンプレートシステムに組み込むべき機能と考えます。

■ 開発全体の見積例 (ホーム画面)

| 機能内容 | 設計 | PG | UT設計 | UT実施 | IT設計 | IT実施 |
|---|---|---|---|---|---|---|
| 当該画面の基本プログラムファイルの準備 (疎通まで含む) | 0.0 | 0.5 | 1.5 | 2.0 | | |
| ヘッダー作成 (共通部品化)<br>・「システム名」をクリックすると、ホーム画面に遷移する<br>・「売上閲覧」をクリックすると、売上閲覧画面に遷移する<br>・「ログアウト」をクリックすると、ログアウトし、ログアウト画面に遷移にする | 0.5 | 0.5 | | | | |
| 画面作成<br>・画面イメージに沿って構築<br>・初期表示処理で、画面にユーザー名を表示する | 0.5 | 0.5 | | | | |
| 未ログインの遷移の場合、ログイン画面に遷移 (共通部品化) | 0.5 | 0.5 | | | | |
| 小計 | 1.5 | 2.0 | 1.5 | 2.0 | | |
| 合計 | | | | | | 7.0 |

■ 開発全体の見積例 (ログアウト画面)

| 機能内容 | 設計 | PG | UT設計 | UT実施 | IT設計 | IT実施 |
|---|---|---|---|---|---|---|
| 当該画面の基本プログラムファイルの準備 (疎通まで含む) | 0.0 | 0.5 | 1.0 | 1.0 | | |
| 画面作成<br>・画面イメージに沿って構築 | 0.5 | 0.5 | | | | |
| ログアウト処理<br>・セッションを初期化する<br>・上記処理完了後、ログアウト画面に遷移する<br>CSRF 対応<br>・セッショントークンの生成とリクエストトークンとセッショントークンの比較チェックをする | 0.5 | 0.5 | | | | |
| 小計 | 1.0 | 1.5 | 1.0 | 1.0 | | |
| 合計 | | | | | | 4.5 |

　ログアウト機能もセッションの初期化などがあるため、リーダーは丁寧にリードする必要があります。

■ 開発全体の見積例 (売上閲覧画面)

| 機能内容 | 設計 | PG | UT設計 | UT実施 | IT設計 | IT実施 |
|---|---|---|---|---|---|---|
| 当該画面の基本プログラムファイルの準備 (疎通まで含む) | 0.0 | 0.5 | 2.5 | 4.0 | | |
| 画面作成<br>・画面イメージに沿って構築<br>・検索条件の店舗名に店舗マスターから店舗リストをセットしておく<br>・検索条件の期に期マスターから期リストをセットしておく<br>・検索条件の店舗名にユーザーが所属する店舗をデフォルト表示しておく<br>・検索条件の期に当期をデフォルト表示しておく<br>・デフォルトの検索条件で検索結果を表示しておく | 2.0 | 3.5 | | | | |
| 検索条件を基に、売上データから各月の売上金額を取得し表示する | 1.0 | 1.0 | | | | |
| ヘッダー作成 (共通部品利用) | 0.0 | 0.0 | | | | |
| 未ログインの遷移の場合、ログイン画面に遷移 (共通部品利用) | 0.0 | 0.0 | | | | |
| 小計 | 3.0 | 5.0 | 2.5 | 4.0 | | |
| 合計 | | | | | | 14.5 |

売上閲覧画面は 今回のシステムのメインとなる業務画面です。

簡単な画面のため、メインの業務画面としては工数が多くはかかりませんでした。しかし、要求内容次第で工数は大きく変わってきます。

たとえば、一覧画面で複数の表を表示したり、更新機能がついたり、ダウンロード機能やアップロード機能がついたりすれば工数は変わります。

実際に、1画面だとしても機能が多ければ工数が数人月になることもあります。1画面で数人月の工数になると、なかなか説明が難しくなりますが、機能内容をしっかり記載すれば説明できます。あとは、ご自身の見積を信じて、自信をもって説明しきることが大事です。

■開発全体の見積例（Webシステムの基本機能）

| 機能内容 | 設計 | PG | UT設計 | UT実施 | IT設計 | IT実施 |
|---|---|---|---|---|---|---|
| ディレクトリ構成を検討し用意する | 0.5 | 0.5 | | | | |
| 機能作成時の拡張性と保守性を考慮したフレームワークやソース構成を検討し用意する | 1.5 | 1.5 | | | | |
| 機能・非機能で利用するライブラリを検討し用意する | 0.5 | 0.5 | | | | |
| ログ出力の構成を検討し用意する | 0.5 | 0.5 | | | | |
| DB接続、トランザクション管理の構成を検討し用意する | 0.5 | 0.5 | | | | |
| セキュリティ対応を検討し用意する | 0.5 | 0.5 | | | | |
| 小計 | 4.0 | 4.0 | | | | |
| 合計 | | | | | | 8.0 |

Webシステムの基本機能の作成については、可能であれば上級プログラマーが担当することを推奨します。理由は経験値の差による品質の差や見積工数の幅が大きすぎるためです。難しい場合は必要に応じてPMがフォローします。

基本機能を作る際は、各言語に用意されているフレームワークやライブラリを利用することが多いですが、基本機能で大切なことは、保守性や拡張性を考慮した構成にし、経験が少ないプログラマーでも開発ができるようなわかりやすい構成を設計する必要があります。基本機能の構築作業は、見積から漏れやすい工程ですが、開発工程をスムーズに進めるために重要な工程です。

　なお、最近のフレームワークには、基本的な機能やセキュリティ対応以外に、ログイン機能なども準備されているものもあります。しかし、注意点もあります。フレームワークとは言え、なにも工夫せずに業務機能を作り出すと、保守性や拡張性がないシステムができあがります。
　また、セキュリティ対策は、一通り対策ができているか、またはどう対応するべきか、なにをしてはいけないかを、事前にフレームワークについて調査し把握するべきです。

　たとえば、クロスサイトスクリプティング対策のサニタイジング対応をしているか、サニタイジング処理をOFFにしてしまう実装方法はないか、SQLインジェクション対策のSQLのバインド構造化をしているか、バインド構造化が担保されない実装方法はないかなどの確認を、各セキュリティ攻撃に対して必要になります。

　なお、セキュリティについては、プログラミング前の確認だけでなく、プログラミング完了後にもセキュリティ観点のソースレビューが必要です。

　このように、1からシステムを構築する場合は、保守性や拡張性の

あるプログラミング構成の考慮やセキュリティ対応について、検討したり検証したりする必要があり、担当者を選ぶため、計画としては不安要素があります。

　可能であれば、スムーズで安全な開発のために、事前にテンプレートシステムの準備と検証をしておき、テンプレートを利用したシステム開発を推奨します。さらに言えば、テンプレートを利用したシステム開発で成功しているテンプレートを使うことがより安心です。

■開発全体の見積例 (単体テストまでの課題対応)

| 作業内容 | 設計 | PG | UT設計 | UT実施 |
|---|---|---|---|---|
| 不具合対応 (5機能各2件相当)<br>課題対応 (2件相当) | 3.5 | 6.0 | 3.0 | 4.5 |
| 小計 | **3.5** | **6.0** | **3.0** | **4.5** |
| 合計 | | | | **17.0** |

　単体テストまでの課題対応としては、設計ミスや要件の実現方法に関する課題、不具合対応などのさまざまな対応が発生します。漏れやすい工程ですが、必ず発生しているタスクです。
　なお、工数についてですが、開発内容の難易度やボリュームにもよりますが、機能開発の各工程の総工数の3掛け前後を準備しておきます。なお、開発工程の工数には、基本機能の開発工数は除きます。

■開発全体の見積の整理 (単体テストまでの課題対応の工数算出)

| 工程分類 | 設計 | PG | UT設計 | UT実施 |
|---|---|---|---|---|
| 開発<br>工程 | 11.5 | 17.5 | 9.5 | 14.0 |
| UT<br>課題 | 11.5×0.3＝<br>3.5 (3.45) | 17.5×0.3＝<br>6.0 (5.25) | 9.5×0.3＝<br>3.0 (2.85) | 14.0×0.3＝<br>4.5 (4.2) |

ただし、経験と照らし合わせて、納得ができる内容や工数に調整してください。なお、今回の工数の説明としては、開発した5機能において、1機能あたり単体テストの不具合対応を2件実施し、課題対応を2件実施するといった内容になります。PGの工数としては、1件あたり0.5人日の計算です。

　　また、課題対応は単体テストに含めてもよいですが、工程を分けたほうが工数の説明がしやすいですし、スケジュールとしてもあらかじめ切り分けて予定を組んでおいたほうが、計画の精度が高まります。

■ 開発全体の見積例 (内部結合テスト)

| 作業内容 | 内部<br>IT設計 | 内部<br>IT実施 |
|---|---|---|
| シナリオテスト実施<br>・シナリオ例：POS→バッチ→ログイン→ホーム→売上閲覧→ログアウト<br>・確認バリエーションの要素：ユーザー、店舗、売上時期（移行、過去期、当期、未来）など | 3.0 | 3.0 |
| 小計 | 3.0 | 3.0 |
| 合計 | | 6.0 |

　　今回の結合テストでは、まず、POS連携について外部結合テストが必要ですが、システム全体を結合して期待通り動くかどうかも検証が必要です。

　　なお、POS連携について詳細な確認を行う外部結合テストの工数はあらかじめ「自動加工バッチ」にて計上しています。**外部結合テストの見積検討のタイミングは、機能の工数検討時に見積**をします。理由は機能を検討しているタイミングのほうが、外部結合テストの必要性に気がつきやすく、工数の検討もしやすいためです。

　　今回の内部結合テストでは、全体的な業務確認とデータやインターフェースの検証のため、シナリオテストを実施します。

なお、シナリオテストは総合テストでも実施しますが、事前に開発チーム内でシナリオテストを内部結合テスト工程で実施しておくことが、リスクを前倒しで減らすことにつながります。

　リスクの内容としては、ステークホルダーを含めて確認する総合テストの工程で、クリティカルな問題が発覚すると、ステークホルダーを含め、全体のスケジュールの遅延につながりやすいことになります。

**　どのような工程も、工程や名称に捕らわれず、やれることは前倒しでやり、問題や課題を早期にリスクヘッジすることがポイントです。このようにリスクを小さくすることや、リスクにチャンスを与えないことが大切**です。

■開発全体の見積例（結合テストまでの課題対応）

| 作業内容 | 設計 | PG | UT設計 | UT実施 | 内部IT設計 | 内部IT実施 |
|---|---|---|---|---|---|---|
| 内部結合テストと、POSとの結合テストにより発生する以下対応<br>不具合対応（バッチとメイン画面の2機能各2件相当）課題対応（2件相当） | 1.5 | 3.0 | 1.5 | 2.5 | 0.0 | 1.0 |
| 小計 | 1.5 | 3.0 | 1.5 | 2.5 | 0.0 | 1.0 |
| 合計 | | | | | | 9.5 |

　内部結合テストまでの課題対応としては、課題対応と不具合対応についての工程のため、「単体テストまでの課題対応」の半分以上の工数がかかることは経験上少ないため、「単体テストまでの課題対応」の0.5掛けとしています。また、内部ITの再実施が必要なため、こちらは「内部結合テスト」の内部IT実施の0.3掛けとしています。

■開発全体の見積例（結合テストまでの課題対応の工数算出）

| 工程分類 | 設計 | PG | UT設計 | UT実施 | 内部IT設計 | 内部IT実施 |
|---|---|---|---|---|---|---|
| UT課題 | 3.5 | 6.0 | 3.0 | 4.5 | | |
| 内部IT | | | | | − | 3.0 |
| IT課題 | 3.5×0.5<br>=1.5<br>(1.75) | 6.0×0.5<br>=3.0<br>(3.0) | 3.0×0.5<br>=1.5<br>(1.5) | 4.5×0.5<br>=2.5<br>(2.25) | 0.0 | 3.0×0.3<br>=1.0<br>(0.9) |

　なお、係数や工数は作業内容や構築するシステムの難易度やボリュームを加味し、必要に応じて調整をしてください。

　大切なことは、不安や違和感があるかどうか、イメージに沿っている工数かどうか、さらに、説明ができるかどうかです。

■開発全体の見積例（移行）

| 作業内容 | 移行準備 | 移行作業 |
|---|---|---|
| POSデータの登録<br>・移行方針の検討と調整（自動加工バッチを利用する想定）<br>・各環境に登録（検証環境、本番環境、ローカル環境）<br>・事前に過去データを登録<br>・リリース時に直近分の過去データを差分登録<br>・データ量が多く作業に時間がかかる想定 | 2.5 | 3.0 |
| 店舗データの登録<br>・SQL化<br>・各環境に登録（検証環境、本番環境、ローカル環境） | 0.5 | 1.0 |
| 期データの登録<br>・SQL化<br>・各環境に登録（検証環境、本番環境、ローカル環境） | 0.5 | 1.0 |
| ユーザーデータの登録<br>・SQL化<br>・各環境に登録（検証環境、本番環境、ローカル環境）<br>・ユーザーマスタ登録<br>・グループマスタ登録 | 0.5 | 1.0 |
| 小計 | 4.0 | 6.0 |
| 合計 | | 10.0 |

移行については、システム全体を見渡せて、リリース時の手順までイメージしながら検討する必要があります。

可能であれば上級メンバーをアサインできるとスムーズに進みます。上級メンバーのアサインが難しい場合は、PMが担当メンバーをフォローすることでリスクヘッジをします。

■開発全体の見積例 (インフラ構築)

| 作業内容 | インフラ設計 | インフラ作業 |
|---|---|---|
| ・検証環境構築 (クラウドサービス利用)<br>・本番環境構築 (クラウドサービス利用)<br>・構築内容<br>　・Webサーバー構築<br>　・バッチサーバー構築<br>　・DB構築<br>　・Docker構築 | 5.0 | 10.0 |
| ・資料作成<br>　・基本操作のマニュアル<br>　・設定情報定義書<br>　・接続情報定義書 | | 5.0 |
| 小計 | 5.0 | 15.0 |
| 合計 | | 20.0 |

インフラ構築としては、可能であれば、インフラ設定内容はスクリプト化することを推奨します。スクリプト化は手動での繰り返し作業を省略できるなどのメリットのほか、属人化を防ぎ、設定内容を見える化や変更管理がしやすくなるため、環境構築のスクリプト化はとても推奨します。

ただし、環境構築をスクリプト化する場合は、内容や規模にもよりますが、経験上、最低でもさらに20人日ほど工数の追加が必要になると考えられます。

今回は、説明をシンプルにするためにスクリプト化はしていません。

■開発全体の見積例（総合テスト）

| 作業内容 | ST設計 | ST実施 | 作業 |
|---|---|---|---|
| シナリオテスト実施<br>・シナリオ例：POS → バッチ → ログイン → ホーム → 売上閲覧 → ログアウト<br>・確認バリエーションの要素：ユーザー、店舗、売上時期（移行、過去期、当期、未来）など<br>・設計書は内部結合テストで利用したものを流用する | 1.0 | 3.0 | |
| 小計 | 1.0 | 3.0 | |
| 合計 | | | 4.0 |

　総合テストでは、今回は内部結合テストと同様のシナリオを実施します。

　そのため、内部結合テストと同等の工数を計上します。ただし、シナリオテストのテストケースは、内部結合テストで作成したものを流用する想定のため設計工数を減らしています。なお、テストの内容はシステム導入の条件次第では現新比較などの観点も入ってくるため、必要なテストを実施してください。また、非機能の内容や機能の量次第で、テスト内容も工数も増えてきますので、その際は作業内容を詳細に書き出し、必要な工数を算出します。

■ 開発全体の見積例 (総合テストまでの課題対応)

| 作業内容 | 設計 | PG | UT設計 | UT実施 | ST設計 | ST実施 |
|---|---|---|---|---|---|---|
| 総合テストにより発生する以下対応<br>不具合対応 (2機能各2件相当)<br>課題対応 (2件相当) | 1.5 | 3.0 | 1.5 | 2.5 | 0.0 | 1.0 |
| 小計 | 1.5 | 3.0 | 1.5 | 2.5 | 0.0 | 1.0 |
| 合計 | | | | | | 9.5 |

　総合テストで発生する課題では、お客様の目に触れる機会が増えて、開発チームでは考慮しきれなかった課題が発生する可能性があります。経験上、「総合テストまでの課題対応」の工数は、「結合テストまでの課題対応」の工数と同等の工数としています。なお、工数については構築するシステムの難易度やボリュームを加味したうえで、調整をしてください。

**2.3.7 開発全体の見積の整理**

前述した開発全体の見積を工程ごとに整理します。

整理した見積工数を確認すると、全体で146.5人日となりました。
人月で約7.4人月です。3名で2〜3ヶ月くらいのスケジュールとなりそうです。

■開発全体の見積の整理

| 分類 | 設計 | PG | UT設計 | UT実施 | 内部IT設計 | 内部IT実施 | インフラ設計 | インフラ作業 | 外部IT設計 | 外部IT実施 | 移行準備 | 移行作業 | ST設計 | ST実施 | 小計 |
|---|---|---|---|---|---|---|---|---|---|---|---|---|---|---|---|
| 基本機能 | 7.0 | 7.0 | - | - | - | - | - | - | - | - | - | - | - | - | 14.0 |
| 開発工程 | 11.5 | 17.5 | 9.5 | 14.0 | - | - | - | - | - | - | - | - | - | - | 52.5 |
| UT課題 | 3.5 | 6.0 | 3.0 | 4.5 | - | - | - | - | - | - | - | - | - | - | 17.0 |
| 結合以降 | - | - | - | - | 3.0 | 3.0 | 5.0 | 15.0 | 1.5 | 2.5 | 4.0 | 6.0 | 1.0 | 3.0 | 44.0 |
| IT課題 | 1.5 | 3.0 | 1.5 | 2.5 | 0.0 | 1.0 | - | - | - | - | - | - | - | - | 9.5 |
| ST課題 | 1.5 | 3.0 | 1.5 | 2.5 | - | - | - | - | - | - | - | - | 0.0 | 1.0 | 9.5 |
| 小計 | 25.0 | 36.5 | 15.5 | 23.5 | 3.0 | 4.0 | 5.0 | 15.0 | 1.5 | 2.5 | 4.0 | 6.0 | 1.0 | 4.0 | - |
| 合計 | | | | | | | | | | | | | | | **146.5** |

整理の仕方も重要です。スケジューリングでは工程ごとに人の割り当てを考えるので、**割り当てがしやすい粒度で整理**しておくと、割り当て作業が簡単になります。なお、PMがプロジェクトの掛け持ちなどで忙しく、きめ細かく指示したりフォローしたりできない場合や、想定するレベルのメンバーが集まらない可能性がある場合は、あらかじめ各機能の各工程の見積工数をもう少し増やしてください。**見積工**

数はシステム開発の内容や環境、リーディング量によって変わります。なお、**PMは基本的には1つのプロジェクトの専任であることを推奨**します。

　ところで、ここまで、まだ管理工数については言及していません。

　管理工数は、システム開発の期間が決まってから算出します。そのため、バッファを含めたマスタースケジュールを出してから算出したほうが効率的です。

　管理工数は基本的にPMの工数となります。
　PMによるプロジェクト管理の仕事は、プロジェクトの計画を練り、リーディングや管理や調整によりプロジェクトの目的を達成させることです。
　そのため、PMはプロジェクト期間中を可能なかぎり担当するプロジェクトにアサインしていることを推奨します。
　よって、管理工数の見積は、バッファ考慮済みのスケジュールが決まって、プロジェクトの期間が決まってから実施します。

　管理工数の詳細な見積内容については、後述する「見積金額の手順」の「管理コストの説明」にて説明します。

**2.3.8 テスト工数の算出方法**

　ここまで、大枠の見積手順の説明を優先にしてきたため、テスト工数の算出方法については触れていませんでした。

　テストの工数は機能単位で係数を掛けて算出しています。

■テスト工数の例

| 設計 | PG | UT設計 | UT実施 | IT設計 | IT実施 |
|---|---|---|---|---|---|
| 4.0 | 6.0 | 3.0 | 5.0 | 1.5 | 2.5 |

　単体テストの工数は、UT設計工数は設計工数の8掛け、UT実施工数はPG工数の8掛けにします。ただし、必要に応じて微調整してください。

　以下、単体テストの内容です。

● UT設計は設計書を読み込み、検証すべきパターン分のテストケースを作成し、期待値まで導出します。ユーザー視点のブラックボックスを中心に確認し、必要に応じてホワイトボックスで確認をします。
● UT実施はUT設計書を読み込み、検証すべきパターン分のテストケースを実施し、エビデンスを作成します。不具合の報告も含みます。

　機能単位の外部結合テストの工数は、IT設計工数はUT設計工数の5掛け、IT実施工数はUT実施工数の5掛けにします。こちらも必要に応じて微調整してください。

以下、機能単位の外部結合テストの内容です。

●外部IT設計は設計書やUT設計書をベースに接続先との確認が必要な分のテストケースを作成し、期待値まで導出します。

●外部IT実施は外部IT設計書を読み込み、検証すべきパターン分のテストケースを実施し、エビデンスを作成します。不具合の報告も含みます。

なお、テスト工数算出時の係数には条件があります。

●新規開発時向けの係数です。再開発や改修により既存機能修正の場合は、修正量が少なくてもリグレッションテストの工数がかかるため、もっとテスト工数が増えます。

●今回のケースでは、テストコード開発をしない前提の係数となっています。

また、係数での算出方法では、お客様に説明が難しい場合は、作業内容を書き出したり、サンプルのテストケースを見せたりすると工数の説明に有効です。

なお、本書の係数はこれまでの実績と経験から割り出していますが、プロジェクトの内容や規模によっては実態にそぐわないケースもありますので、その場合は、実態に合うように係数や工数を調整してください。

　**見積はスピードも重要です。のんびりしていては仕事を受注できません。見積の精度のために時間をかけるポイントは、機能内容の詳細な洗い出しに集中するべき**です。

**2.3.9 工数見積のポイントのまとめ**

それでは、工数見積の手順のポイントを整理します。

● 基本設計をベースに見積をします。画面やバッチなどの機能ごとに、可能なかぎりその機能に含まれる処理まで洗い出します。
● 機能に含まれる処理まで加味して、機能の工数を工程ごとに算出します。
● 担当者にそのまま依頼ができる内容を目指して機能内容を補足し、作業工数を違和感なくイメージができたら、その内容で工数を調整します。なお、逆に違和感や不安があれば、PMが安心できる工数にしてください。
● 可能であれば、テンプレートシステムを利用する。また、類似開発のノウハウが蓄積されたら、過去実績で見積内容をチェックします。

　工数見積で特に大切なポイントとしては、工数の根拠となる機能の洗い出し作業です。記載内容がやや細かいと感じるかもしれませんが、基本設計をしていれば記載できる内容ですし、結局、開発時にメンバーに指示する際に伝えている内容かと思います。もし、この**計画段階で作業指示の内容がイメージできていない場合、詳細な工数を見積するタイミングがないため、実態より見積工数のほうが少なくなるリスク**が高くなります。

　なお、作業内容や機能内容の洗い出しができない状況では、洗い出しができる方に依頼をしてください。また、工数のイメージを聞くことはよいですが、工数を出す際は当手順に従いPMが実施してください。

**2.3.10 見積のフォーマット化**

　見積をする際は、以下のような工程ごとに工数を記入できる表を用意して見積をすることを推奨します。

■ 見積のフォーマット

| 機能内容 | 設計 | PG | UT設計 | UT実施 | IT設計 | IT実施 |
|---|---|---|---|---|---|---|
|  |  |  |  |  |  |  |
|  |  |  |  |  |  |  |
|  |  |  |  |  |  |  |
|  |  |  |  |  |  |  |
|  |  |  |  |  |  |  |
| 小計 | 0.0 | 0.0 | 0.0 | 0.0 | 0.0 | 0.0 |
| 合計 |  |  |  |  |  | 0.0 |

　1から考えるより、見積フォーマットを基に見積をすれば、工程の考慮漏れを防ぐことができます。特に、テストにおいては、テスト設計とテスト実施を分ける人と分けない人で、見積工数に差がでることが多いです。

　ぜひ表計算ソフトなどで見積フォーマットを作り、常に見積フォーマットを使って見積をするようにしましょう。

　それだけでも見積の精度が上がります。**ミスにチャンスを与えないことが大事**です。

# スケジューリングの手順

## 2.4.1 スケジューリングの説明の流れ

　見積フローにおける2番目の工程「スケジューリングの手順」を説明していきます。

■見積のフロー図 (スケジューリングの手順)

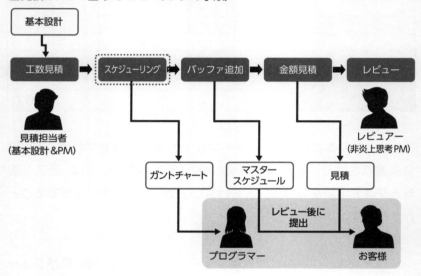

　**スケジューリングのインプットは見積工程で算出し整理した工程ごとの見積工数と開発メンバーと役割情報です。スケジューリングのアウトプットは開発時の簡易的な内部用スケジュール**になります。そして、内部用スケジュールと機能ごとの工数見積と、開発メンバーと役割情報を利用すると、詳細なWBSのタスクを洗い出すことができ、工数まで加味された精度の高い小日程計画の**ガントチャートを作れる**ようになります。ただし、プログラマーに示すためには事前にレ

ビューが必要になります。また、次工程で内部用スケジュールにバッファを追加することで、お客様と約束できるマスタースケジュールを作ることができます。

　スケジューリングは、以下の流れで説明します。

●スケジューリングに必要な情報

●スケジューリングの手順

　❖仮の山積みを検討し、スケジュールの期間を決める

　❖スケジュール表の枠を作成する

　❖予定作業工数を記入しやすくするために、見積工数と上限値などの条件工数を記入する

　❖予定作業工数を記入する

●スケジューリングのポイントのまとめ

　なお、スケジューリングの手順の説明では、単純に手順の説明をするだけでなく、スケジューリングをするうえで、システム開発の流れをイメージすることの大切さを理解していただきたいため、実際のスケジューリングで予定を立てる際に検討することや調整することの例を織り交ぜながら説明しています。

## 2.4.2 スケジューリングに必要な情報

スケジューリングに必要な情報としては、まずは見積の手順で抽出し整理した工程ごとの工数です。

■ スケジューリングに必要な情報 (工程ごとに整理した工数情報)

| 分類 | 設計 | PG | UT設計 | UT実施 | 内部IT設計 | 内部IT実施 | インフラ設計 | インフラ作業 | 外部IT設計 | 外部IT実施 | 移行準備 | 移行作業 | ST設計 | ST実施 | 小計 |
|---|---|---|---|---|---|---|---|---|---|---|---|---|---|---|---|
| 基本機能 | 7.0 | 7.0 | - | - | - | - | - | - | - | - | - | - | - | - | 14.0 |
| 開発工程 | 11.5 | 17.5 | 9.5 | 14.0 | - | - | - | - | - | - | - | - | - | - | 52.5 |
| UT課題 | 3.5 | 6.0 | 3.0 | 4.5 | - | - | - | - | - | - | - | - | - | - | 17.0 |
| 結合以降 | - | - | - | - | 3.0 | 3.0 | 5.0 | 15.0 | 1.5 | 2.5 | 4.0 | 6.0 | 1.0 | 3.0 | 44.0 |
| IT課題 | 1.5 | 3.0 | 1.5 | 2.5 | 0.0 | 1.0 | - | - | - | - | - | - | - | - | 9.5 |
| ST課題 | 1.5 | 3.0 | 1.5 | 2.5 | - | - | - | - | - | - | - | - | 0.0 | 1.0 | 9.5 |
| 小計 | 25.0 | 36.5 | 15.5 | 23.5 | 3.0 | 4.0 | 5.0 | 15.0 | 1.5 | 2.5 | 4.0 | 6.0 | 1.0 | 4.0 | - |
| 合計 | | | | | | | | | | | | | | | **146.5** |

次に、開発メンバーと役割情報が必要です。今回の総工数は146.5人日であり、人月で約7.4人月です。2〜4名で2〜3ヶ月くらいのスケジュールとなりそうです。仮でもよいので、次のようなメンバー構成で検討します。

■ スケジューリングに必要な情報（開発メンバーと役割情報）

| 作業者 | 設計 | PG | UT設計 | UT実施 | 内部IT設計 | 内部IT実施 | インフラ設計 | インフラ作業 | 外部IT設計 | 外部IT実施 | 移行準備 | 移行作業 | ST設計 | ST実施 | 役割 |
|---|---|---|---|---|---|---|---|---|---|---|---|---|---|---|---|
| A氏 | ○ | ○ | ○ | ○ | ○ | ○ | × | × | ○ | ○ | ○ | ○ | ○ | ○ | 設計、PG、テスト |
| B氏 | ○ | ○ | ○ | ○ | ○ | ○ | × | × | ○ | ○ | ○ | ○ | ○ | ○ | 設計、PG、テスト |
| C氏 | × | × | ○ | ○ | × | ○ | × | × | × | ○ | × | ○ | × | ○ | テスト |
| D氏 | - | - | - | - | - | - | ○ | ○ | - | - | - | - | - | - | インフラ |
| 各月上限工数 | 40.0 | 40.0 | 60.0 | 60.0 | 40.0 | 60.0 | 20.0 | 20.0 | 40.0 | 60.0 | 40.0 | 60.0 | 40.0 | 60.0 | - |

## 2.4.3 スケジューリングの仮の山積みを検討する

　スケジューリングをするうえで、まず、期間と人員構成をイメージしたいため、スケジュールに必要な情報を基に、仮の人員構成の山積みを検討します。見積の結果は全体で146.5人日であり、人月で約7.4人月です。2～4名で2～3ヶ月くらいのスケジュールとなります。

　次に、スケジューリングをするうえで、開発の流れを大まかにイメージしておきます。1ヶ月目は、設計やPGを実施していきます。2ヶ月目は、単体テストの完了と結合試験以降の準備期間とします。この頃には、インフラ構成に必要な情報も出そろっているため、インフラ担当者分の配置工数を2ヶ月目に設定します。3ヶ月目では、システム開発会社の作業は完了となるイメージです。

なお、いろいろとイメージはしましたが、はじめから山積みを決め
すぎてしまうと、山積みに合わせることが目的になり無理のあるスケ
ジュールになりやすいため、まずは想定より多めで、3名で3ヶ月の山
積みをベースにインフラを追加し検討します。理由は安全で最適なス
ケジュールを作成したいためです。

　山積みはスケジューリング中に最適化していけばよいです。問題が
あれば、あとで人員のアサインを減らしたり増やしたりすればよいだ
けです。

■作業者と役割

| 作業者 | Ｎ月 | Ｎ月＋1 | Ｎ月＋2 | 役割 |
|---|---|---|---|---|
| A氏 | ○ | ○ | ○ | 設計、PG、テスト |
| B氏 | ○ | ○ | ○ | 設計、PG、テスト |
| C氏 | ○ | ○ | ○ | テスト |
| D氏 | × | ○ | × | インフラ |

## ⚙ 2.4.4 スケジュール表の枠を作る

　準備したスケジューリングに必要な情報を基に、次のように、作業
工程ごとに各月の予定工数を入力できる表の枠を作成します。

　「Ｎ月」に1ヶ月目の予定工数、「Ｎ月＋1」に2ヶ月目の予定工数、「Ｎ
月＋2」に3ヶ月目の予定工数を、人日単位で各作業工程に入力してい
きます。

■ スケジューリング表の枠を作る

| 作業工程 | N月 | N月+1 | N月+2 | 見積工数 | 各工程上限工数 | 小計 | 設定工数チェック |
|---|---|---|---|---|---|---|---|
| 基本機能/設計 | | | | | | | |
| 基本機能/PG | | | | | | | |
| 設計 | | | | | | | |
| PG | | | | | | | |
| UT設計 | | | | | | | |
| UT実施 | | | | | | | |
| UT課題/設計・PG | | | | | | | |
| UT課題/テスト | | | | | | | |
| 内部IT設計 | | | | | | | |
| 内部IT実施 | | | | | | | |
| インフラ設計 | | | | | | | |
| インフラ作業 | | | | | | | |
| 外部IT設計 | | | | | | | |
| 外部IT実施 | | | | | | | |
| IT課題/設計・PG | | | | | | | |
| IT課題/テスト | | | | | | | |
| 移行準備 | | | | | | | |
| 移行作業 | | | | | | | |
| ST設計 | | | | | | | |
| ST実施 | | | | | | | |
| ST課題/設計・PG | | | | | | | |
| ST課題/テスト | | | | | | | |
| リソース上限工数 | | | | | | | |
| 小計 | | | | | | | |
| 設定工数チェック | | | | | | | |
| 合計 | | | | | | | |

なお、表にはスケジューリング作業をしやすくするためにさまざまなその他の項目があります。

●「見積工数」には、前工程で抽出した各工程の見積工数をあらかじめ設定しておきます。見積工数分を予定工数欄に入力していくことになります

●「各工程上限工数」は、各工程に対して、アサインメンバーのスキルとアサイン人数から抽出した1月あたりに設定できる上限工数です

●「リソース上限工数」は、アサイン人数から抽出した1月あたりに設定できる上限工数です

●「設定工数チェック」は、入力した小計の工数に対し、上限工数や見積工数の範囲内かどうかをチェックした結果を示します

　ぜひ、表計算ソフトなどでお試しください。

　少し項目が多いかもしれませんが、慣れてしまえばスケジューリングは難しくありません。工程ごとの工数とアサインメンバーが整理できていれば、作業工程順にクリティカルパスを意識しながら各月に予定工数を埋めていくだけです。

　なお、スケジュール表は、もっとよいチェック機能や入力ルールを作ることもできると思いますので、ご自身でカスタマイズしてご利用いただければと思います。

## 2.4.5 見積工数と設定上限工数を記入する

　それでは、次工程の予定作業工数の入力を簡単にするために、事前に用意した情報から、まずは「見積工数」を設定し、次に「各工程上限工数」を設定し、最後に「リソース上限工数」に、仮の山積みで決めた人員配置数に１人月分の日数20日を掛けて算出し設定します。

　これで下準備はOKです。

■見積工数と設定上限工数を記入

| 作業工程 | N月 | N月+1 | N月+2 | 見積工数 | 各工程上限工数 | 小計 | 設定工数チェック |
|---|---|---|---|---|---|---|---|
| 基本機能/設計 | | | | 7.0 | 40.0 | | |
| 基本機能/PG | | | | 7.0 | 40.0 | | |
| 設計 | | | | 11.5 | 40.0 | | |
| PG | | | | 17.5 | 40.0 | | |
| UT設計 | | | | 9.5 | 60.0 | | |
| UT実施 | | | | 14.0 | 60.0 | | |
| UT課題/設計・PG | | | | 9.5 | 40.0 | | |
| UT課題/テスト | | | | 7.5 | 60.0 | | |
| 内部IT設計 | | | | 3.0 | 40.0 | | |
| 内部IT実施 | | | | 3.0 | 60.0 | | |
| インフラ設計 | | | | 5.0 | 20.0 | | |
| インフラ作業 | | | | 15.0 | 20.0 | | |
| 外部IT設計 | | | | 1.5 | 40.0 | | |
| 外部IT実施 | | | | 2.5 | 60.0 | | |
| IT課題/設計・PG | | | | 4.5 | 40.0 | | |
| IT課題/テスト | | | | 5.0 | 60.0 | | |
| 移行準備 | | | | 4.0 | 40.0 | | |
| 移行作業 | | | | 6.0 | 60.0 | | |
| ST設計 | | | | 1.0 | 40.0 | | |
| ST実施 | | | | 3.0 | 60.0 | | |
| ST課題/設計・PG | | | | 4.5 | 40.0 | | |
| ST課題/テスト | | | | 5.0 | 60.0 | | |
| リソース上限工数 | 60.0 | 80.0 | 60.0 | | | | |
| 小計 | | | | | | | |
| 設定工数チェック | | | | | | | |
| 合計 | | | | | | | |

## 2.4.6 予定作業工数を記入する

　予定作業工数は、事前に設定した見積工数分を、各月の予定工数に工程順にクリティカルパスを意識しながら埋めていきます。それでは、試しに「基本機能／設計」と「設計」作業の予定工数を記入してみます。設計作業は、1ヶ月目だけで終わりそうです。至って普通のスケジューリング作業です。

■ 予定作業工数を記入 (設計)

| 作業工程 | N月 | N月+1 | N月+2 | 見積工数 | 各工程上限工数 | 小計 | 設定工数チェック |
|---|---|---|---|---|---|---|---|
| 基本機能／設計 | 7.0 | | | 7.0 | 40.0 | 7.0 | OK |
| 基本機能／PG | | | | 7.0 | 40.0 | | |
| 設計 | 11.5 | | | 11.5 | 40.0 | 11.5 | OK |
| PG | | | | 17.5 | 40.0 | | |
| UT設計 | | | | 9.5 | 60.0 | | |
| UT実施 | | | | 14.0 | 60.0 | | |
| UT課題／設計・PG | | | | 9.5 | 40.0 | | |
| UT課題／テスト | | | | 7.5 | 60.0 | | |
| 内部IT設計 | | | | 3.0 | 40.0 | | |
| 内部IT実施 | | | | 3.0 | 60.0 | | |
| インフラ設計 | | | | 5.0 | 20.0 | | |
| インフラ作業 | | | | 15.0 | 20.0 | | |
| 外部IT設計 | | | | 1.5 | 40.0 | | |
| 外部IT実施 | | | | 2.5 | 60.0 | | |
| IT課題／設計・PG | | | | 4.5 | 40.0 | | |
| IT課題／テスト | | | | 5.0 | 60.0 | | |
| 移行準備 | | | | 4.0 | 40.0 | | |
| 移行作業 | | | | 6.0 | 60.0 | | |
| ST設計 | | | | 1.0 | 40.0 | | |
| ST実施 | | | | 3.0 | 60.0 | | |
| ST課題／設計・PG | | | | 4.5 | 40.0 | | |
| ST課題／テスト | | | | 5.0 | 60.0 | | |
| リソース上限工数 | 60.0 | 80.0 | 60.0 | | | | |
| 小計 | 18.5 | | | | | | |
| 設定工数チェック | −41.5 | | | | | | |
| 合計 | | | | | | | 18.5 |

次に、「基本機能／PG」と「PG」作業の予定工数を記入してみます。

■ 予定作業工数を記入 (PG)

| 作業工程 | N月 | N月+1 | N月+2 | 見積工数 | 各工程上限工数 | 小計 | 設定工数チェック |
|---|---|---|---|---|---|---|---|
| 基本機能／設計 | 7.0 | | | 7.0 | 40.0 | 7.0 | OK |
| 基本機能／PG | 7.0 | | | 7.0 | 40.0 | 7.0 | OK |
| 設計 | 11.5 | | | 11.5 | 40.0 | 11.5 | OK |
| PG | 17.5 | | | 17.5 | 40.0 | 17.5 | OK |
| UT設計 | | | | 9.5 | 60.0 | | |
| UT実施 | | | | 14.0 | 60.0 | | |
| UT課題／設計・PG | | | | 9.5 | 40.0 | | |
| UT課題／テスト | | | | 7.5 | 60.0 | | |
| 内部IT設計 | | | | 3.0 | 40.0 | | |
| 内部IT実施 | | | | 3.0 | 60.0 | | |
| インフラ設計 | | | | 5.0 | 20.0 | | |
| インフラ作業 | | | | 15.0 | 20.0 | | |
| 外部IT設計 | | | | 1.5 | 40.0 | | |
| 外部IT実施 | | | | 2.5 | 60.0 | | |
| IT課題／設計・PG | | | | 4.5 | 40.0 | | |
| IT課題／テスト | | | | 5.0 | 60.0 | | |
| 移行準備 | | | | 4.0 | 40.0 | | |
| 移行作業 | | | | 6.0 | 60.0 | | |
| ST設計 | | | | 1.0 | 40.0 | | |
| ST実施 | | | | 3.0 | 60.0 | | |
| ST課題／設計・PG | | | | 4.5 | 40.0 | | |
| ST課題／テスト | | | | 5.0 | 60.0 | | |
| リソース上限工数 | 60.0 | 80.0 | 60.0 | | | | |
| 小計 | 43.0 | | | | | | |
| 設定工数チェック | −17.0 | | | | | | |
| 合計 | | | | | | | 43.0 |

第2章｜見積の手順

一見、順調に予定を組めたように見えます。ただし、1ヶ月目には3名配置していますが、「設計」と「PG」の工程については、対応が可能な担当者が2名しかいないので、1ヶ月目に最大40人日しか対応できないのに、すでに43人日分を設定している点が問題です。そのため、今回の条件下では、1ヶ月目に「PG」工程に17.5人日も予定できません。

それでは、PG作業を補正し、1ヶ月目の予定を記入します。

■作業予定工数を記入（1ヶ月目仮）

| 作業工程 | N月 | N月+1 | N月+2 | 見積工数 | 各工程上限工数 | 小計 | 設定工数チェック |
|---|---|---|---|---|---|---|---|
| 基本機能／設計 | 7.0 | | | 7.0 | 40.0 | 7.0 | OK |
| 基本機能／PG | 7.0 | | | 7.0 | 40.0 | 7.0 | OK |
| 設計 | 11.5 | | | 11.5 | 40.0 | 11.5 | OK |
| PG | 14.5 | | | 17.5 | 40.0 | 14.5 | −3.0 |
| UT設計 | 9.5 | | | 9.5 | 60.0 | 9.5 | OK |
| UT実施 | 4.5 | | | 14.0 | 60.0 | 4.5 | −9.5 |
| UT課題／設計・PG | | | | 9.5 | 40.0 | | |
| UT課題／テスト | | | | 7.5 | 60.0 | | |
| 内部IT設計 | | | | 3.0 | 40.0 | | |
| 内部IT実施 | | | | 3.0 | 60.0 | | |
| インフラ設計 | | | | 5.0 | 20.0 | | |
| インフラ作業 | | | | 15.0 | 20.0 | | |
| 外部IT設計 | | | | 1.5 | 40.0 | | |
| 外部IT実施 | | | | 2.5 | 60.0 | | |
| IT課題／設計・PG | | | | 4.5 | 40.0 | | |
| IT課題／テスト | | | | 5.0 | 60.0 | | |
| 移行準備 | | | | 4.0 | 40.0 | | |
| 移行作業 | | | | 6.0 | 60.0 | | |
| ST設計 | | | | 1.0 | 40.0 | | |
| ST実施 | | | | 3.0 | 60.0 | | |
| ST課題／設計・PG | | | | 4.5 | 40.0 | | |
| ST課題／テスト | | | | 5.0 | 60.0 | | |
| リソース上限工数 | 60.0 | 80.0 | 60.0 | | | | |
| 小計 | 54.0→? | | | | | | |
| 設定工数チェック | −6.0 | | | | | | |
| 合計 | | | | | | | 54.0 |

　設計が終わった機能からPGとUT設計を開始しています。ところが、設定工数チェックを見ると−6.0人日のロスがあります。原因はテスト担当者が設計待ちにより、作業ができない期間が発生しているためです。リスクヘッジにもならないのに6日間のロスをすることは問題です。この場合は、作業が非効率なため、テスト担当者の参画時期を2ヶ月目に移動したほうがよさそうです。スケジューリングでは、

計画性が重要であることがわかります。

　それでは、テスト担当者を2ヶ月目から参画するように計画を修正して、1ヶ月目のスケジュールを完成させてみます。

■作業予定工数を記入（1ヶ月目完成）

| 作業工程 | N月 | N月+1 | N月+2 | 見積工数 | 各工程上限工数 | 小計 | 設定工数チェック |
|---|---|---|---|---|---|---|---|
| 基本機能/設計 | 7.0 | | | 7.0 | 40.0 | 7.0 | OK |
| 基本機能/PG | 7.0 | | | 7.0 | 40.0 | 7.0 | OK |
| 設計 | 11.5 | | | 11.5 | 40.0 | 11.5 | OK |
| PG | 12.5 | | | 17.5 | 40.0 | 12.5 | −5.0 |
| UT設計 | | | | 9.5 | 60.0 | | |
| UT実施 | | | | 14.0 | 60.0 | | |
| UT課題/設計・PG | | | | 9.5 | 40.0 | | |
| UT課題/テスト | | | | 7.5 | 60.0 | | |
| 内部IT設計 | | | | 3.0 | 40.0 | | |
| 内部IT実施 | | | | 3.0 | 60.0 | | |
| インフラ設計 | | | | 5.0 | 20.0 | | |
| インフラ作業 | | | | 15.0 | 20.0 | | |
| 外部IT設計 | | | | 1.5 | 40.0 | | |
| 外部IT実施 | | | | 2.5 | 60.0 | | |
| IT課題/設計・PG | | | | 4.5 | 40.0 | | |
| IT課題/テスト | | | | 5.0 | 60.0 | | |
| 移行準備 | | | | 4.0 | 40.0 | | |
| 移行作業 | | | | 6.0 | 60.0 | | |
| ST設計 | | | | 1.0 | 40.0 | | |
| ST実施 | | | | 3.0 | 60.0 | | |
| ST課題/設計・PG | | | | 4.5 | 40.0 | | |
| ST課題/テスト | | | | 5.0 | 60.0 | | |
| リソース上限工数 | 40.0 | 80.0 | 60.0 | | | | |
| 小計 | 38.0→OK | | | | | | |
| 設定工数チェック | −2.0 | | | | | | |
| 合計 | | | | | | | 38.0 |

　なお、**スケジューリングでは、各月の予定はギリギリまで設定しないようにしましょう**。理由はシステム開発時の詳細スケジュールを作成する際に、考慮漏れの作業があったり想定外の時間ロスが発生し

たりする可能性があるため、バッファとして確保しておきたいためです。

それでは、2ヶ月目の予定を記入します。

■作業予定工数を記入 (2ヶ月目)

| 作業工程 | N月 | N月+1 | N月+2 | 見積工数 | 各工程上限工数 | 小計 | 設定工数チェック |
|---|---|---|---|---|---|---|---|
| 基本機能/設計 | 7.0 | | | 7.0 | 40.0 | 7.0 | OK |
| 基本機能/PG | 7.0 | | | 7.0 | 40.0 | 7.0 | OK |
| 設計 | 11.5 | | | 11.5 | 40.0 | 11.5 | OK |
| PG | 12.5 | 5.0 | | 17.5 | 40.0 | 17.5 | OK |
| UT設計 | | 9.5 | | 9.5 | 60.0 | 9.5 | OK |
| UT実施 | | 14.0 | | 14.0 | 60.0 | 14.0 | OK |
| UT課題/設計・PG | | 9.5 | | 9.5 | 40.0 | 9.5 | OK |
| UT課題/テスト | | 7.5 | | 7.5 | 60.0 | 7.5 | OK |
| 内部IT設計 | | 3.0 | | 3.0 | 40.0 | 3.0 | OK |
| 内部IT実施 | | 3.0 | | 3.0 | 60.0 | 3.0 | OK |
| インフラ設計 | | 5.0 | | 5.0 | 20.0 | 5.0 | OK |
| インフラ作業 | | 15.0 | | 15.0 | 20.0 | 15.0 | OK |
| 外部IT設計 | | 1.5 | | 1.5 | 40.0 | 1.5 | OK |
| 外部IT実施 | | | | 2.5 | 60.0 | | |
| IT課題/設計・PG | | | | 4.5 | 40.0 | | |
| IT課題/テスト | | | | 5.0 | 60.0 | | |
| 移行準備 | | 4.0 | | 4.0 | 40.0 | 4.0 | OK |
| 移行作業 | | | | 6.0 | 60.0 | | |
| ST設計 | | | | 1.0 | 40.0 | | |
| ST実施 | | | | 3.0 | 60.0 | | |
| ST課題/設計・PG | | | | 4.5 | 40.0 | | |
| ST課題/テスト | | | | 5.0 | 60.0 | | |
| リソース上限工数 | 40.0 | 80.0 | 60.0 | | | | |
| 小計 | 38.0→OK | 77.0→OK | | | | | |
| 設定工数チェック | -2.0 | -3.0 | | | | | |
| 合計 | | | | | | | 115.0 |

2ヶ月目で構築は完了し、インフラも構築が完了します。なお、ここで無理をすれば2ヶ月間で終わりそうなので増員して期間を縮める方もいると思いますが、**余裕がない開発は想定外の対応ができず、難易**

度が非常に高くなります。プロジェクトにおいて期間の長さによるリスクヘッジは非常に有効です。**期間は絶対に守れる期間にするべきで、無理せず1ヶ月延ばすことが重要**です。

それでは、全体の作業予定を記入します。

■作業予定工数を記入（全体）

| 作業工程 | N月 | N月+1 | N月+2 | 見積工数 | 各工程上限工数 | 小計 | 設定工数チェック |
|---|---|---|---|---|---|---|---|
| 基本機能／設計 | 7.0 | | | 7.0 | 40.0 | 7.0 | OK |
| 基本機能／PG | 7.0 | | | 7.0 | 40.0 | 7.0 | OK |
| 設計 | 11.5 | | | 11.5 | 40.0 | 11.5 | OK |
| PG | 12.5 | 5.0 | | 17.5 | 40.0 | 17.5 | OK |
| UT設計 | | 9.5 | | 9.5 | 60.0 | 9.5 | OK |
| UT実施 | | 14.0 | | 14.0 | 60.0 | 14.0 | OK |
| UT課題／設計・PG | | 9.5 | | 9.5 | 40.0 | 9.5 | OK |
| UT課題／テスト | | 7.5 | | 7.5 | 60.0 | 7.5 | OK |
| 内部IT設計 | | 3.0 | | 3.0 | 40.0 | 3.0 | OK |
| 内部IT実施 | | 3.0 | | 3.0 | 60.0 | 3.0 | OK |
| インフラ設計 | | 5.0 | | 5.0 | 20.0 | 5.0 | OK |
| インフラ作業 | | 15.0 | | 15.0 | 20.0 | 15.0 | OK |
| 外部IT設計 | | 1.5 | | 1.5 | 40.0 | 1.5 | OK |
| 外部IT実施 | | | 2.5 | 2.5 | 60.0 | 2.5 | OK |
| IT課題／設計・PG | | | 4.5 | 4.5 | 40.0 | 4.5 | OK |
| IT課題／テスト | | | 5.0 | 5.0 | 60.0 | 5.0 | OK |
| 移行準備 | | 4.0 | | 4.0 | 40.0 | 4.0 | OK |
| 移行作業 | | | 6.0 | 6.0 | 60.0 | 6.0 | OK |
| ST設計 | | | 1.0 | 1.0 | 40.0 | 1.0 | OK |
| ST実施 | | | 3.0 | 3.0 | 60.0 | 3.0 | OK |
| ST課題／設計・PG | | | 4.5 | 4.5 | 40.0 | 4.5 | OK |
| ST課題／テスト | | | 5.0 | 5.0 | 60.0 | 5.0 | OK |
| リソース上限工数 | 40.0 | 80.0 | 60.0 | | | | |
| 小計 | 38.0→OK | 77.0→OK | 31.5→? | | | | |
| 設定工数チェック | −2.0 | −3.0 | −28.5 | | | | |
| 合計 | | | | | | | **146.5** |

事前に工程順に工数を整理しておくと、このように簡単にスケジュールが作れます。

こうしてみると、3ヶ月目のバッファが31.5人日あります。3ヶ月目に3名を配置するには、さすがに余剰がありすぎるため、メンバーの配置の最適化が必要であることがわかります。

　こちらは3ヶ月目のメンバー配置の最適化を検討する前の人員配置表です。

■メンバー配置の最適化を検討する前の人員配置と予定工数

| 作業者 | N月 | N月+1 | N月+2 | 役割 |
|---|---|---|---|---|
| A氏 | ○ | ○ | ○ | 設計、PG、テスト |
| B氏 | ○ | ○ | ○ | 設計、PG、テスト |
| C氏 | × | ○ | ○ | テスト |
| D氏 | × | ○ | × | インフラ |
| 各月上限工数 | 40.0 | 80.0 | 60.0 | ― |
| 作業予定工数 | 38.0 | 77.0 | 31.5 | ― |

　それでは、以下にて3ヶ月目の作業予定工数に合わせて人員数を調整してみます。3名は余裕がありすぎるため2名に減らしています。

■メンバー配置の人員数調整

| 作業者 | N月 | N月+1 | N月+2 | 役割 |
|---|---|---|---|---|
| A氏 | ○ | ○ | ○ | 設計、PG、テスト |
| B氏 | ○ | ○ | ○ | 設計、PG、テスト |
| C氏 | × | ○ | × | テスト |
| D氏 | × | ○ | × | インフラ |
| 各月上限工数 | 40.0 | 80.0 | 40.0 | ― |
| 作業予定工数 | 38.0 | 77.0 | 31.5 | ― |

　スケジューリングでは、全体としてはやや余裕をもたせておいてください。無理をして各月に、各月の上限工数分の作業予定工数を埋めないほうがよいです。

システム開発においては、必ず想定外のタスクが発生します。また、想定外のタスクを読み切ることは難易度が高いです。そのため、ギリギリのスケジュールを作ることは計画性がない行為のため、余裕のあるスケジュールにしましょう。

さて、それでは、スケジュールにおいても、調整した人員構成に合わせ3ヶ月目のリソース上限工数を補正します。

■3ヶ月目のリソース上限工数を補正

| 作業工程 | N月 | N月+1 | N月+2 | 見積工数 | 各工程上限工数 | 小計 | 設定工数チェック |
|---|---|---|---|---|---|---|---|
| 基本機能/設計 | 7.0 | | | 7.0 | 40.0 | 7.0 | OK |
| 基本機能/PG | 7.0 | | | 7.0 | 40.0 | 7.0 | OK |
| 設計 | 11.5 | | | 11.5 | 40.0 | 11.5 | OK |
| PG | 12.5 | 5.0 | | 17.5 | 40.0 | 17.5 | OK |
| UT設計 | | 9.5 | | 9.5 | 60.0 | 9.5 | OK |
| UT実施 | | 14.0 | | 14.0 | 60.0 | 14.0 | OK |
| UT課題/設計・PG | | 9.5 | | 9.5 | 40.0 | 9.5 | OK |
| UT課題/テスト | | 7.5 | | 7.5 | 60.0 | 7.5 | OK |
| 内部IT設計 | | 3.0 | | 3.0 | 40.0 | 3.0 | OK |
| 内部IT実施 | | 3.0 | | 3.0 | 60.0 | 3.0 | OK |
| インフラ設計 | | 5.0 | | 5.0 | 20.0 | 5.0 | OK |
| インフラ作業 | | 15.0 | | 15.0 | 20.0 | 15.0 | OK |
| 外部IT設計 | | 1.5 | | 1.5 | 40.0 | 1.5 | OK |
| 外部IT実施 | | | 2.5 | 2.5 | 60.0 | 2.5 | OK |
| IT課題/設計・PG | | | 4.5 | 4.5 | 40.0 | 4.5 | OK |
| IT課題/テスト | | | 5.0 | 5.0 | 60.0 | 5.0 | OK |
| 移行準備 | | 4.0 | | 4.0 | 40.0 | 4.0 | OK |
| 移行作業 | | | 6.0 | 6.0 | 60.0 | 6.0 | OK |
| ST設計 | | | 1.0 | 1.0 | 40.0 | 1.0 | OK |
| ST実施 | | | 3.0 | 3.0 | 60.0 | 3.0 | OK |
| ST課題/設計・PG | | | 4.5 | 4.5 | 40.0 | 4.5 | OK |
| ST課題/テスト | | | 5.0 | 5.0 | 60.0 | 5.0 | OK |
| リソース上限工数 | 40.0 | 80.0 | 40.0 | | | | |
| 小計 | 38.0→OK | 77.0→OK | 31.5→OK | | | | |
| 設定工数チェック | −2.0 | −3.0 | −8.5 | | | | |
| 合計 | | | | | | | 146.5 |

こちらで完成です。欲を言えば、上記情報があるのであれば、小日程計画まで作成するほうが正確でよいのですが、見積では大枠を捉えることとスピードが大切なため、見積のタイミングでは上記のような簡易的なスケジュールで対応します。そのため、ゴールデンウィークのある5月やお盆の8月などは作業予定の上限工数を正確に減らしましょう。

なお、ガントチャートの作成方法について触れてきませんでしたが、作成した内部用スケジュールと機能ごとの見積工数、メンバーと役割情報があれば、WBSに該当する作業内容リストと予定工数、各月の対応予定内容、人員配置情報がわかるため、開発メンバー向けのガントチャートが作れます。

例として、基本機能の構築工程のガントチャートを載せておきます。

■ ガントチャート (簡易的なもの)

| 作業者 | 作業内容 | 予定工数 | N月1日 | N月2日 | N月3日 | N月4日 |
|---|---|---|---|---|---|---|
| A氏 | Web基本機能 - 設計 | 3.0 | 1.0 | 1.0 | 1.0 | |
| A氏 | Web基本機能 - PG | 3.0 | | | | 1.0 |
| B氏 | バッチ基本機能 - 設計 | 4.0 | 1.0 | 1.0 | 1.0 | 1.0 |
| B氏 | バッチ基本機能 - PG | 4.0 | | | | |

作業者と作業ごとに、日別に作業予定工数を設定していけば作成できます。ただし、1名に対し、1日に1人日を超える作業を振らないように注意してください。

**2.4.7 スケジューリングのポイントのまとめ**

　スケジューリングの手順のポイントを整理します。

●整理した工程ごとの見積工数をベースに、システム開発の流れをイメージして、余裕のあるスケジューリングをします
●アウトプットが簡易的な内部用スケジュールになります。簡易的な内部スケジュールを作る目的は、どのような体制になるかを抽出することが目的です。ここでいう体制とは、誰がどのくらいの期間アサインするかという情報です。厳密には次工程でバッファを追加してレビュー後に、正確な体制情報が抽出できます。
●内部用スケジュールと機能ごとの見積工数の情報、開発メンバーと役割情報を基にガントチャートを作成することができます

　なお、スケジューリングでは、手順も大切ですが、システム開発の流れをよくイメージして計画することも非常に大切です。
　理由は、工程には前工程が完了しないと始められないものがあったり、対象工程を実施できる人員の数がかぎられていたりするためです。

# 第2章 5 バッファ追加の手順

## 2.5.1 バッファ追加の説明の流れ

見積フローにおける3番目の工程「バッファ追加の手順」を説明していきます。

■ 見積のフロー図 (バッファ追加の手順)

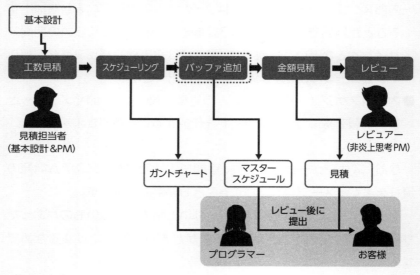

**バッファ追加のインプットは、スケジューリングで算出したシステム開発会社の内部用のスケジュール**です。**バッファ追加のアウトプットは、文字通りバッファを追加したスケジュール**です。

次工程ではバッファ追加のスケジュールを基に、人件費ベースの金額見積をします。また、**バッファ追加後のスケジュールがお客様に見せられるマスタースケジュール**になります。ただし、お客様に示すためには**事前にレビュー**が必要になります。

バッファ追加の手順は、以下の流れで説明します。

● バッファの必要性

● バッファ追加の考え方

● バッファ追加に必要な情報

● バッファ追加の手順の説明

● マスタースケジュール作成の説明

● バッファ追加のポイントのまとめ

**2.5.2 バッファの必要性**

　なぜバッファが必要かというと、本書においては**開発者向けに提示するスケジュールは、単純に見積工数ベースで作成するため、想定外のアクシデントは加味していません。そのため、遅延は簡単に発生**します。たとえば、インフルエンザやコロナなどにかかった場合は遅延します。よって、バッファがないスケジュールは、必ず守れるスケジュールではありません。なお、想定外のアクシデントはバッファでコントロールします。

　よって、**お客様に提示するスケジュールは、必ず守れるスケジュールに調整する必要があります。**開発者向けのスケジュールをそのまま、お客様にスケジュールとして提示してしまうことはやめてください。**必ずバッファを追加したスケジュールでお客様に提示**してください。

　稀に「バッファのお金を取るの？」という方がいますが、バッファのないスケジュールは、前述したような遅延リスクに対して、なにもリスクヘッジをしていない状況となります。**リスクヘッジは高品質なシステムを作るための付加価値の高いマネジメントサービス**のため、当然有料です。

　また、要求定義や要件定義は完璧にすることは難しく、システムを実際に使ったりシステム結合をしたりするタイミングで、お客様や外部システムとの認識違いが発生することがあります。

　認識違いの対応のため「それは仕様変更で別料金です」も正しいですが、バッファがあり許容内のことでしたら「その仕様変更は対応します」のほうが現実的だと思います。

### 2.5.3 バッファ追加の考え方

バッファの追加方法は以下となります。
● 完了日の期間を延ばす
● 現人員にて未割り当ての日程を組む
● 人員を追加配置する

次に、バッファの追加箇所は以下となります。
● リリース日
● 難易度が高い機能の開発工程
● 外部関係者と共同作業をする工程

バッファの追加方法として、**もっとも現実的で効果がある方法は「期間を延ばす」**ことです。

全体で3ヶ月前後のスケジュールのシステム開発の場合、工程完了予定日やリリース日にバッファを3日から1週間ほど追加してください。

1週間あれば、ある程度の仕様追加や仕様変更に対してなんとか対応できます。たとえば、システム連携箇所でインターフェースの調整が発生したとします。するとインターフェース変更対応と関連機能の修正、関連テスト、シナリオテストのやり直しなどを実施します。

なお、バッファの量は、システム開発の規模に応じて調整してください。また、工数の追加が難しい場合は、最低限、完了予定日だけでも遅らせてください。

## 2.5.4 バッファ追加に必要な情報

　バッファ追加に必要な情報は、前述した簡易的な内部用スケジュールです。このスケジュールに対してバッファを追加していきます。

■バッファの追加に必要な情報（再掲）

| 作業工程 | N月 | N月+1 | N月+2 | 見積工数 | 各工程上限工数 | 小計 | 設定工数チェック |
|---|---|---|---|---|---|---|---|
| 基本機能／設計 | 7.0 | | | 7.0 | 40.0 | 7.0 | OK |
| 基本機能／PG | 7.0 | | | 7.0 | 40.0 | 7.0 | OK |
| 設計 | 11.5 | | | 11.5 | 40.0 | 11.5 | OK |
| PG | 12.5 | 5.0 | | 17.5 | 40.0 | 17.5 | OK |
| UT設計 | | 9.5 | | 9.5 | 60.0 | 9.5 | OK |
| UT実施 | | 14.0 | | 14.0 | 60.0 | 14.0 | OK |
| UT課題／設計・PG | | 9.5 | | 9.5 | 40.0 | 9.5 | OK |
| UT課題／テスト | | 7.5 | | 7.5 | 60.0 | 7.5 | OK |
| 内部IT設計 | | 3.0 | | 3.0 | 40.0 | 3.0 | OK |
| 内部IT実施 | | 3.0 | | 3.0 | 60.0 | 3.0 | OK |
| インフラ設計 | | 5.0 | | 5.0 | 20.0 | 5.0 | OK |
| インフラ作業 | | 15.0 | | 15.0 | 20.0 | 15.0 | OK |
| 外部IT設計 | | 1.5 | | 1.5 | 40.0 | 1.5 | OK |
| 外部IT実施 | | | 2.5 | 2.5 | 60.0 | 2.5 | OK |
| IT課題／設計・PG | | | 4.5 | 4.5 | 40.0 | 4.5 | OK |
| IT課題／テスト | | | 5.0 | 5.0 | 60.0 | 5.0 | OK |
| 移行準備 | | 4.0 | | 4.0 | 40.0 | 4.0 | OK |
| 移行作業 | | | 6.0 | 6.0 | 60.0 | 6.0 | OK |
| ST設計 | | | 1.0 | 1.0 | 40.0 | 1.0 | OK |
| ST実施 | | | 3.0 | 3.0 | 60.0 | 3.0 | OK |
| ST課題／設計・PG | | | 4.5 | 4.5 | 40.0 | 4.5 | OK |
| ST課題／テスト | | | 5.0 | 5.0 | 60.0 | 5.0 | OK |
| リソース上限工数 | 40.0 | 80.0 | 40.0 | | | | |
| 小計 | 38.0→OK | 77.0→OK | 31.5→OK | | | | |
| 設定工数チェック | -2.0 | -3.0 | -8.5 | | | | |
| 合計 | | | | | | | 146.5 |

## 2.5.5 バッファを追加する

　それでは、バッファを追加します。まず、はじめから計算ができる不具合対応などのリスクについては、**後からバッファを追加するのではなく、はじめから作業として明確に準備しておきます。具体的には見積工程の「UT課題」「IT課題」「ST課題」になります。**

　バッファの内容についても説明を求められます。そのため、説明がしやすいように、表にして内容も記載しておきます。たとえば不具合対応件数3件分などです。また、状況に応じて、もっとリスクヘッジをしておきたければ、想定対応件数や工数を増やしておきます。こうした工程が、特に開発工程や結合工程の期間に対し余裕を作り出します。

　次に、**計算できないリスクについては、スケジューリング時の各月に用意しておいた余剰を使います。**内部用スケジュール表では、1ヶ月目は2人日の余剰、2ヶ月目は3人日の余剰、3ヶ月目は8.5人日の余剰があるので、そのままバッファにします。

　余剰の説明は「インフルエンザやコロナへの備え」と言えば説明がつくと思いますが、それでも説明が難しい場合は、こちらの余剰工数は課題対応などの工数に寄せておけば多少説明がしやすくなります。

　最後に、**開発者向けのスケジュールを基に、バッファを追加してお客様と約束をするためのマスタースケジュールを作成**します。リリース日や開発工程や他社と共同作業する工程は、規模に応じてですが、開発者向けのスケジュールの完了予定日から数日から数週間、遅らせるようにバッファを追加します。

　詳細は次頁にて説明します。

# 2.5.6 マスタースケジュールを作成する

　マスタースケジュールを作成します。マスタースケジュールは、お客様と認識合わせをするためのスケジュールのため、工程の粒度を俯瞰のしやすい粗い粒度に変更します。

　また、**マスタースケジュールは、お客様と約束するスケジュールのため、必ず約束を守れるスケジュールにする**必要があります。
　そのため、マスタースケジュールにはバッファを追加します。

　以下が、バッファ追加前の内部用スケジュールベースのマスタースケジュールです。

■バッファ追加前のマスタースケジュール

| タスク | | N月 | N月+1 | N月+2 | N月+3 |
|---|---|---|---|---|---|
| 開発 | | ███████ | ███████ | | |
| | 設計 | ██ | | | |
| | PG | ███ | | | |
| | UT設計 | | ███ | | |
| | UT実施 | | ██ | | |
| | 内部結合テスト | | █ | | |
| インフラ構築 | | ████ | ████ | | |
| 外部結合テスト | | | | ██ | |
| 移行 | | | ████ | ████ | |
| 総合テスト | | | | ███ | |
| 受入テスト（お客様） | | | | █ | |
| 研修（お客様） | | | | ███ | |
| リリース | | | | █ | |
| 運用 | | | | | ██████ |

こちらが、バッファ追加後のマスタースケジュールです。

■バッファ追加後のマスタースケジュール

| タスク | | N月 | N月+1 | N月+2 | N月+3 |
|---|---|---|---|---|---|
| 開発 | | ████████████▶ | | | |
| | 設計 | ▰▶ | | | |
| | PG | ▰▰▶ | | | |
| | UT設計 | | | | |
| | UT実施 | | ▰▰▶ | | |
| | 内部結合テスト | | ▰ | | |
| インフラ構築 | | | ███████▶ | | |
| 外部結合テスト | | | ██▶ | | |
| 移行 | | | ████▶ | | |
| 総合テスト | | | | ██▶ | |
| 受入テスト（お客様） | | | | ▶ | |
| 研修（お客様） | | | ██▶ | | |
| リリース | | | | | ▮ |
| 運用 | | | | | ██████▶ |

　まず、開発工程や他社と作業する工程は、開発者向けのスケジュールの完了予定日から3日ほど遅らせるように変更します。

　次に、リリース日ですが開発完了が3ヶ月目の月末のため、余裕をもって翌月上旬に設定するようにバッファ追加します。期間としては1週間ほど後ろに設定しました。

　お客様には、バッファ追加後のスケジュールで約束をします。

## 2.5.7 バッファ追加のポイントのまとめ

バッファ追加の手順のポイントを整理します。

● 内部用スケジュールをベースに、リリース日やクリティカルパスに影響しそうな工程のスケジュールに、バッファ期間を追加します。具体的には、難易度が高い機能の開発工程や、お客様や外部関係者とのやり取りにより影響しそうな工程のスケジュールにバッファ工数と期間を追加します。

● 不具合対応や課題対応など計算できるリスクに対しては、バッファではなく、はじめから作業や工程として用意しておきます。

● 各月の予定工数をギリギリまで設定しないことにより、あらかじめ各月にバッファ工数を用意しておきます。インフルエンザやコロナなどの予測しづらいリスクは対応するため用意しておきたいバッファです。

● バッファを追加したあとのスケジュールで、お客様と約束することが大切です。なお、今回の説明では触れていませんが、お客様と約束するマスタースケジュールには、必要に応じて重要なタスクなどは、具体的なマイルストーンなどを設けてください。

なお、マスタースケジュールの作成方法についてですが、あらかじめお客様が決めたスケジュールに従う場合、可能なかぎりお客様のスケジュールに合わせて、マイルストーンを決めて、期間に収まるように、構築内容を調整したり各工程のスケジュールを決めたりします。

しかし、このようにお客様のスケジュールに合わせる場合は、多くの場合は期間が短くなり、1月あたりのメンバー数が多くなり、プロジェクトをスムーズに進めることが難しくなります。

スケジュールが厳しい場合は、コントロールができなくなりリリース日に間に合わなかったり赤字になったりするケースを何度も見ています。

ここまでの手順を経て、**詳細に見積を考察すればするほど、無理なスケジュールで臨むプロジェクト計画は、非常に難易度が高い計画だと心から判断できるはず**です。

そのため、**スケジュールはシステム開発会社が決めることを推奨**します。過去の経験上、しっかりと説明すれば十分調整が可能です。

なお、**お客様のスケジュールに従いプロジェクトを進める場合は、プロジェクトが可能なかぎり簡単になるように、基本設計の精度を高くしたり、テンプレートシステムの用意をしたりします。事前の準備がより大切**になります。

# 第2章
# 6 金額見積の手順

 **2.6.1 金額見積の説明の流れ**

　見積フローにおける4番目の工程「金額見積の手順」を説明していきます。

■見積のフロー図（金額見積の手順）

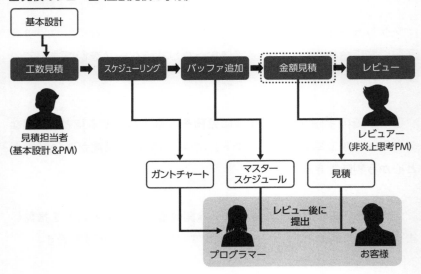

　**見積金額のインプットは、バッファ追加の工程で作成するバッファ追加済みのマスタースケジュールを加味した山積みの人員構成情報**です。

　**見積金額のアウトプットは、文字通り見積金額**です。

　次工程では工数見積から金額見積までの手順で作成したアウトプットを基に、レビューをします。

　また、**金額見積のアウトプットがお客様に示す見積金額**になりま

す。ただし、お客様に示すためには**事前にレビュー**が必要になります。

　金額見積の手順は、以下の流れで説明します。

●金額見積の考え方

●人員コストの考え方

●金額見積に必要な情報

●金額見積の手順の説明

●管理コストの説明

●金額見積のポイントのまとめ

## 2.6.2 金額見積の考え方

　基本的に、**見積金額の算出方法は人員がどのくらいの期間を必要かという情報に対し、担当者ごとにそれぞれの売単価を掛けて算出**します。

　**注意点は、見積金額は、単純に工数に売単価を掛けて算出するわけではない**という点です。こちらについては次項で説明します。

　また、**見積作業においてお客様の予算を気にしないわけにはいきません。ただし、見積工数を算出し見積金額を算出するまでは考慮してはいけません。**

　**予算に合わせた調整や提案は後で行うべき**です。予算に合わせた対応方法は第3章のケーススタディで説明しています。理由は要望を満たす見積をする際に、お客様の予算を意識してしまうと正しい工数の見積がしづらくなるためです。

　基本的には、**要望を満たす見積をして、予算に収まらない場合は、作業内容を予算に収まる内容に減らすべき**です。

　そのため、**まずは予算を気にせず、お客様の要求を満たす見積を素直に実施**しましょう。

　なお、この章では、お客様の予算などへの考慮はできるかぎり忘れて、見積手順の説明をします。

### 2.6.3 人員コストの考え方

　**人員は見積対象プロジェクトに該当する技術経験数が3年の外部委託先のプログラマーを想定**しておきます。

　特定の人員を想定して金額を算出してしまうと、開発時期が変わってしまった場合や、想定していたメンバーが参加できなくなった場合に、人員コストが想定と変わってしまいます。

　なお、外部委託先の人員でシステム開発を想定するため、基本的に1月単位のコストとなります。

　そのため、工数を基準に見積金額は算出していては、赤字になる可能性があります。

　たとえば、工数を基準にした場合、1名を1.5人月必要だったとして、システム開発会社のお客様向けの売単価が1人月あたり120万円とした場合、見積金額は180万円です。

　しかし、いざ人員を調達してみたら、1.5人月で契約してくれる外部委託先は少なく、結果的に2.0人月で調達することがあります。その場合、外部委託先の単価が1月あたり100万円とし、1.5人月の作業だったとしても、200万円のコストが発生するため、20万円の赤字になります。

　そのため、見積金額の算出はあらかじめ1月単位で計算します。今回の例では、1名を2人月のため、見積金額は240万円でコストが200万円となり、利益が40万円となります。

　なお、開発担当の契約は1月単位ですが、中小規模のシステムにおける保守などの1人月に満たない契約については、適宜、調整が必要になります。

**2.6.4 金額見積に必要な情報**

　金額の見積に必要な情報は、バッファ追加後の山積みの人員構成情報です。

■金額の見積に必要な情報：バッファ追加後の人員構成情報

| 作業者 | Ｎ月 | Ｎ月+1 | Ｎ月+2 | Ｎ月+3 | Ｎ月+4 | 役割 |
|---|---|---|---|---|---|---|
| Ａ氏 | ○ | ○ | ○ | ○ | △ | 設計、PG、テスト |
| Ｂ氏 | ○ | ○ | ○ | × | × | 設計、PG、テスト |
| Ｃ氏 | × | ○ | × | × | × | テスト |
| Ｄ氏 | × | ○ | △ | △ | △ | インフラ |
| Ｅ氏 | ○ | ○ | ○ | △ | △ | PM・PL |
| 工程 | 設計 | PG | テスト | リリース 保守 | 保守 | ― |

　上記の人員構成情報について補足説明をします。

　まず、PM兼PLを担当するE氏を追加しています。なお、PMとPLを分けても問題ありません。

　インフラ担当のD氏は環境構築後もリリース作業などでも必要なため、体制としてキープします。


　次に、4ヶ月目については、上旬は受入テストをしている点とリリース直後の1ヶ月間は、想定外の対応が必要になることもあり得るため、PG担当者を1名フルアサインして、強化体制を作っておきます。仕様変更対応も想定できるため保守契約ではなく開発契約に含めています。


　また、4ヶ月目以降から保守が始まるため、別途、保守契約が発生していきます。

**2.6.5 金額見積をする**

　それでは、システム開発費の見積をします。仮に、全メンバー一律で1人月あたりの売単価を120万円とし、1人月あたりのコストを100万円とすると、以下になります。

■金額見積

| 作業者 | N月 | N月+1 | N月+2 | N月+3 | 対応期間 | 売上（万円） | コスト（万円） | 役割 |
|---|---|---|---|---|---|---|---|---|
| A氏 | ○ | ○ | ○ | ○ | 4ヶ月間 | 480 | 400 | 設計、PG、テスト |
| B氏 | ○ | ○ | ○ | × | 3ヶ月間 | 360 | 300 | 設計、PG、テスト |
| C氏 | × | ○ | × | × | 1ヶ月間 | 120 | 100 | テスト |
| D氏 | × | ○ | △ | △ | 1.2ヶ月間 | 144 | 120 | インフラ |
| E氏 | ○ | ○ | ○ | △ | 3.2ヶ月間 | 384 | 320 | PM・PL |
| 工程 | 設計 | PG | テスト | リリース | 合計 | 1,488 | 1,240 | ― |

　見積の結果、システム開発費としては1,488万円、コストは1,240万円、利益は248万円です。利益率が約17%と低いのですが、**売上や利益の問題は見積作業や見積工数で調整する問題ではなく、シンプルに売単価とコストの設定の問題**です。たとえば、1人月あたりのコストを仮に100万円から90万円に変更した場合、利益率は17%から25%に上がります。

　よって、**見積作業においてビジネスの観点で重視しなければならないポイントは、無理な計画をしてお客様に迷惑をかけないことと、見積工数を見誤って赤字にしないことです。精度の高い見積をしていれば、見積作業においてビジネスに問題を及ぼすことはありません。**

**2.6.6 管理コストの説明**

　**開発工程にけるPMの仕事は、決まった作業ではなくプロジェクト
が問題なく完了できることを常に担保し続ける動きをすること**です。

　そのため、PMのコストはどれだけの期間を配置するかで算出し
ます。

　なお、お客様に対し工数的な説明が必要な場合もあるため、今回
のシステム開発を例に、敢えて、作業を洗い出すと以下のようにな
ります。もちろん、システム開発の規模によっては作業内容は変
わってきます。


●週次（1月当たり概算20時間）
　❖お客様への報告資料作成
　❖お客様との定例会議・課題検討


●日次（1月当たり概算40時間）
　❖開発メンバーへの作業指示・リーディング
　❖進捗管理


●随時（1月当たり概算100時間）
　❖遅延や仕様変更などが起きた場合の計画の再計算
　❖レビュー作業（設計、PG、UT設計、UT結果、IT設計、IT結果、
　　ST設計、ST結果　等全行程）
　❖再レビュー作業（設計、PG、UT設計、UT結果、IT設計、IT結果、
　　ST設計、ST結果　等全行程）
　❖開発メンバーからの質問・相談対応
　❖お客様からの質問・相談対応

❖関連システム担当者からの質問・相談対応

❖仕様課題や技術課題に対するサポート・リード

❖状況に問題がないか常に監視・問題点への対応

## ⚙ 2.6.7 金額見積のポイントのまとめ

それでは、金額見積の手順のポイントを整理します。

●バッファ追加まで完了したマスタースケジュールを基に算出した
山積みの人員構成情報に管理者を追加し、全体の人件費をベースに
見積金額を算出します。

●アウトプットがお客様に示す見積金額になります。なお、実際にお
客様に見せる場合は事前にレビューが必要です。

　本書では、システム開発費に焦点を当てていますが、実際の見積で
は、お客様への提案に必要な資料や、ランニングコストなどの見積も
用意します。なお、システム開発費以外のランニングコストなどの見
積例については、第3章のケーススタディで説明しています。

# 第2章 7 レビューの手順

 ## 2.7.1 レビューの説明の流れ

　見積フローにおける最後の工程「レビューの手順」を説明していきます。

■見積のフロー図（レビューの手順）

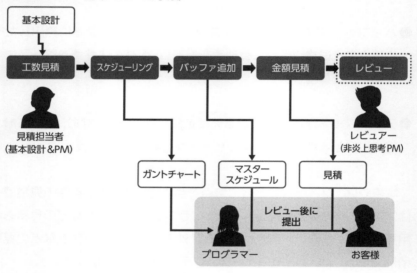

　**レビューのインプットは、工数見積から金額見積までに発生した見積手順すべてのアウトプット**です。

　**レビューのアウトプットも工数見積から金額見積までに発生するアウトプットのすべて**です。

　また、**レビューを経て、プログラマーへはガントチャートを、お客様へはマスタースケジュールや見積を見せられるようになります。**

レビューの手順は、以下の流れで説明します。

●レビュアーの条件

●条件に合うレビュアーがいない場合のレビュー方法

●レビュー手順の説明

●レビュー修正後の見積情報の説明

●レビューのポイントのまとめ

# 2.7.2 レビュアーの条件

　見積のレビュアーの条件は、**システム開発のプロジェクトをスケジュール通り・予算通り・高品質・低残業でリリース成功することを考慮し、レビューができるPMクラスの方**です。特に、**炎上プロジェクトを防ぎたいと考えている方がレビューをすると、レビューの効果が高い**と考えています。

　見積レビューにおいては、システム構築の計画性のチェックが大切ですが、ビジネスのチェックもポイントになります。システム開発におけるビジネスは、基本的には利益が担保された売単価と見積工数を基に売上金額を算出していれば、目標となる利益は自然に確保できます。しかし、利益確保を最優先するレビュアーの場合、お客様の予算が厳しい状況下でも利益を確保するために、作業量を減らさず見積工数だけを減らすなどの無理なアプローチを強要する場合があります。見積工数が足らない場合、根拠がない計画の基でプロジェクトが進むため、長期にわたり多くの残業を強いる炎上プロジェクトが発生する可能性が高いです。基本的に炎上するプロジェクトは計画性がないため、品質が悪く、お客様の信頼を失います。当然、メンバーからの信頼も失います。無理をすれば一時的な利益は稼げますが、長い目で見たらビジネスは衰退しかねません。よって、システム開発におけるレビュアーは無理な計画をすることのデメリットを理解している人が向いています。見積のレビュアーの選定において、技術力の高さや役職の高さだけで選んでしまうことが多いですが、**システム開発の成功のために大切なことは、適切で無理な計画をしないこと**です。技術や業務に関する専門的なレビューが必要な場合は、適切なレビュアーをさらに追加することで対応してください。

### 2.7.3 条件に合うレビュアーがいない場合

　レビュアーの条件「システム開発のプロジェクトをスケジュール通り・予算通り・高品質・低残業でリリース成功することを考慮しレビューできるPMクラス」についてですが、該当するレビュアーがいない場合もあると思います。

　その場合でも、ここまで説明してきた通りに基本設計をベースに詳細な機能情報や指示内容を書き出したうえで見積工数を算出し、バッファを追加したスケジューリングをしていれば、見積として大きなズレは減ると考えています。

　また、既存のレビュアーのなかには、お客様や上司へ報告がしやすい内容を好む方もいると思います。そのような方は、無理な計画や少ない見積工数へ誘導する場合があります。

　あなたから見て、明らかに無理な計画でプロジェクトが進みそうな場合があると思います。その際に、**PMのあなたが無理な計画だと思えるときは、たとえ周りの方が全員違う意見だとしてもあなたの考えが正しいはずです。**
　上司やお客様にとって都合が悪い意見を説明することはとても大変だと思いますが、器用に説明ができなくても、強い意志があればあなたの見積は通すことができます。
　**ぜひご自分の考え通りに行動してください。**

**2.7.4 レビューをする**

　レビューは、見積金額と見積工数の確認を中心に以下の観点で実施します。

● 無理な工数や無理なスケジュールにしていないか確認する
● システム開発のシミュレーションができているか確認する
● 売上・コスト・利益に問題がないか確認する

　上記のレビュー観点で**レビューする手順としては、レビュー依頼者が、ここまで説明してきた「見積の手順」通りに見積をして、精度が高い見積ができているかを確認すること**です。そのため、レビュー依頼者に本書で説明してきた全資料を提示してもらいクロスチェックをします。

● 基本設計書、要件定義書 など
● 見積工数の手順で作成した資料 (機能ごとの見積資料、テスト工程などのその他の各工程の見積資料、工程ごとに工数を整理した資料)
● スケジューリング手順で作成した資料 (内部用スケジュール)
● バッファ追加の手順で作成した資料 (マスタースケジュール)
● 金額見積の手順で作成した資料 (人員構成と金額見積情報)

　レビュアーは、見積の手順に沿って、システム開発に必要な作業が洗い出せているか、内容や工数やスケジュールが問題ないか、ビジネスに問題がないかを確認していきます。

それでは、ここまでの見積結果の資料を見て、具体的なレビューを
していきます。レビューの結果は、全体的におおむね問題はありませ
んでしたが、ログイン処理のPG工数が、人によっては機能内容の量
に対して余裕がないため、1.5人日から3.5人日にバッファ追加する
ことにします。

　PG合計工数としては3.0人日から5.0人日に変更です。なお、今回
はPG　のバッファの追加のため、UT工数の変更はしていません。

■レビュー後のログイン処理の工数修正

| 機能内容 | 設計 | PG | UT 設計 | UT 実施 | IT 設計 | IT 実施 |
|---|---|---|---|---|---|---|
| ユーザー関連のテーブル作成 | 0.5 | 0.5 | 1.5 | 2.0 | | |
| 当該画面の基本プログラムファイルの準備（疎通まで含む） | 0.0 | 0.5 | | | | |
| 画面作成<br>・画面イメージに沿って構築 | 0.5 | 0.5 | | | | |
| ログイン処理<br>・項目定義のバリデーションチェック処理を行う<br>・ログインIDの存在チェックを行う<br>・パスワードの一致チェックを行う（平文ではなくハッシュ化した文字列での比較）<br>・セッションを再生成する<br>・セッションにログイン情報を登録する<br>・上記処理完了後、ホーム画面に遷移する<br>CSRF対応<br>・セッショントークンの生成とリクエストトークンとセッショントークンの比較チェックをする | 1.0 | 1.5→3.5 | | | | |
| 小計 | 2.0 | 5.0 | 1.5 | 2.0 | | |
| 合計 | | | | | 8.5→10.5 | |

　今回の工数補正の例では、PG工数が3人日から5人日になりまし
たが、レビューをしていて見積工数が足りないと不安に思うことが

あったら、その不安を無視せず不安の原因を考えて、リスクとして管理してください。

　不安要素の例としては、基本設計の定義状況が曖昧だった場合や、PMのリーディングに不安がある場合、開発体制に不安がある場合などがあります。これらをリスクとして整理して、想定よりも時間がかかるリスクがある場合は、リスクに応じた工数にしてください。

　**レビューの大事なポイントは、PM 個人の感覚に偏った見積にならないようにすること**です。

**2.7.5 レビュー修正後の見積情報**

　先ほどレビューで指摘を受けたログイン処理の工数について、補正した後の見積情報を載せておきます。

　なお、工数の補正後は、スケジューリングから金額見積まで合わせて修正をして、再レビューをしてください。

　まずは、最終的な工程ごとの工数一覧です。開発工程のPGに、2人日追加しています。

■レビュー後の見積情報（工程ごとの工数一覧）

| 分類 | 設計 | PG | UT設計 | UT実施 | 内部IT設計 | 内部IT実施 | インフラ設計 | インフラ作業 | 外部IT設計 | 外部IT実施 | 移行準備 | 移行作業 | ST設計 | ST実施 | 小計 |
|---|---|---|---|---|---|---|---|---|---|---|---|---|---|---|---|
| 基本機能 | 7.0 | 7.0 | - | - | - | - | - | - | - | - | - | - | - | - | 14.0 |
| 開発工程 | 11.5 | 17.5→19.5 | 9.5 | 14.0 | - | - | - | - | - | - | - | - | - | - | 54.5 |
| UT課題 | 3.5 | 6.0 | 3.0 | 4.5 | - | - | - | - | - | - | - | - | - | - | 17.0 |
| 結合以降 | - | - | - | - | 3.0 | 3.0 | 5.0 | 15.0 | 1.5 | 2.5 | 4.0 | 6.0 | 1.0 | 3.0 | 44.0 |
| IT課題 | 1.5 | 3.0 | 1.5 | 2.5 | 0.0 | 1.0 | - | - | - | - | - | - | - | - | 9.5 |
| ST課題 | 1.5 | 3.0 | 1.5 | 2.5 | - | - | - | - | - | - | - | - | 0.0 | 1.0 | 9.5 |
| 小計 | 25.0 | 38.5 | 15.5 | 23.5 | 3.0 | 4.0 | 5.0 | 15.0 | 1.5 | 2.5 | 4.0 | 6.0 | 1.0 | 4.0 | - |
| 合計 | | | | | | | | | | | | | | | 146.5→148.5 |

最終的な内部用スケジュールです。

「N月+1」のPG工数に2人日追加しています。「N月+2」のバッファが2人日減りましたが、それでも3ヶ月目に8.5人日残っているので、この規模でしたら問題ないと判断します。

■最終的な内部用スケジュール

| 作業工程 | N月 | N月+1 | N月+2 | 見積工数 | 各工程上限工数 | 小計 | 設定工数チェック |
|---|---|---|---|---|---|---|---|
| 基本機能/設計 | 7.0 | | | 7.0 | 40.0 | 7.0 | OK |
| 基本機能/PG | 7.0 | | | 7.0 | 40.0 | 7.0 | OK |
| 設計 | 11.5 | | | 11.5 | 40.0 | 11.5 | OK |
| PG | 12.5 | 5.0→7.0 | | 19.5 | 40.0 | 19.5 | OK |
| UT設計 | | 9.5 | | 9.5 | 60.0 | 9.5 | OK |
| UT実施 | | 14.0 | | 14.0 | 60.0 | 14.0 | OK |
| UT課題/設計・PG | | 9.5 | | 9.5 | 40.0 | 9.5 | OK |
| UT課題/テスト | | 7.5 | | 7.5 | 60.0 | 7.5 | OK |
| 内部IT設計 | | 3.0 | | 3.0 | 40.0 | 3.0 | OK |
| 内部IT実施 | | 3.0 | | 3.0 | 60.0 | 3.0 | OK |
| インフラ設計 | | 5.0 | | 5.0 | 20.0 | 5.0 | OK |
| インフラ作業 | | 15.0 | | 15.0 | 20.0 | 15.0 | OK |
| 外部IT設計 | | 1.5 | | 1.5 | 40.0 | 1.5 | OK |
| 外部IT実施 | | | 2.5 | 2.5 | 60.0 | 2.5 | OK |
| IT課題/設計・PG | | | 4.5 | 4.5 | 40.0 | 4.5 | OK |
| IT課題/テスト | | | 5.0 | 5.0 | 60.0 | 5.0 | OK |
| 移行準備 | | 4.0 | | 4.0 | 40.0 | 4.0 | OK |
| 移行作業 | | | 6.0 | 6.0 | 60.0 | 6.0 | OK |
| ST設計 | | | 1.0 | 1.0 | 40.0 | 1.0 | OK |
| ST実施 | | | 3.0 | 3.0 | 60.0 | 3.0 | OK |
| ST課題/設計・PG | | | 4.5 | 4.5 | 40.0 | 4.5 | OK |
| ST課題/テスト | | | 5.0 | 5.0 | 60.0 | 5.0 | OK |
| リソース上限工数 | 40.0 | 80.0 | 40.0 | | | | |
| 小計 | 38.0→OK | 79.0→OK | 31.5→OK | | | | |
| 設定工数チェック | -2.0 | -1.0 | -8.5 | | | | |
| 合計 | | | | | | 146.5→148.5 | |

最終的なマスタースケジュールについてですが、微増なため影響はありませんでした。

■レビュー後の見積情報（工程ごとの工数一覧）

| タスク | | N月 | N月+1 | N月+2 | N月+3 |
|---|---|---|---|---|---|
| 開発 | | | | | |
| | 設計 | | | | |
| | PG | | | | |
| | UT設計 | | | | |
| | UT実施 | | | | |
| | 内部結合テスト | | | | |
| インフラ構築 | | | | | |
| 外部結合テスト | | | | | |
| 移行 | | | | | |
| 総合テスト | | | | | |
| 受入テスト（お客様） | | | | | |
| 研修（お客様） | | | | | |
| リリース | | | | | |
| 運用 | | | | | |

山積みにも影響がありませんでした。

■最終的な山積（再掲）

| 作業者 | N月 | N月+1 | N月+2 | N月+3 | 対応期間 | 売上（万円） | コスト（万円） | 役割 |
|---|---|---|---|---|---|---|---|---|
| A氏 | ○ | ○ | ○ | ○ | 4ヶ月間 | 480 | 400 | 設計、PG、テスト |
| B氏 | ○ | ○ | ○ | × | 3ヶ月間 | 360 | 300 | 設計、PG、テスト |
| C氏 | × | ○ | × | × | 1ヶ月間 | 120 | 100 | テスト |
| D氏 | × | ○ | △ | △ | 1.2ヶ月間 | 144 | 120 | インフラ |
| E氏 | ○ | ○ | ○ | △ | 3.2ヶ月間 | 384 | 320 | PM・PL |
| 工程 | 設計 | PG | テスト | リリース | 合計 | 1,488 | 1,240 | − |

山積みに影響がないため、レビュー結果後の見積金額も変わらず、システム開発費としては1,488万円、コストは1,240万円、利益は248万円です。

　そして、レビュー合格後の見積資料が、お客様に提出ができる見積資料となります。

　なお、最終的な人員の山積みの工数に対して、工数見積工程で抽出した工数は少ない場合があります。差分をバッファとして説明できない場合は、UT課題対応やIT課題対応などの説明がしやすい工程に工数を追加して説明してください。

 ## 2.7.6 レビューのポイントのまとめ

　それでは、レビューのポイントを整理します。


●レビューのチェック観点
　❖無理な工数や無理なスケジュールにしていないか確認する
　❖システム開発のシミュレーションができているか確認する
　❖売上・コスト・利益に問題がないか確認する


●レビュー依頼者に本書で説明してきた全資料を提示してもらいクロスチェックをします。
　❖工数見積
　　◆各機能の見積工数情報
　　◆行程ごとに整理した見積情報

❖スケジューリング
- ◆ 簡易的な内部用スケジュール

❖バッファ追加
- ◆ バッファ追加後の簡易的な内部用スケジュール
- ◆ マスタースケジュール

❖金額見積
- ◆ 人員の山積み情報を根拠にした見積金額

● レビュアーは炎上することや残業することを望まない非炎上思考のPMクラスにします。

● アウトプットが、お客様に提出できる見積資料になります。
  - ❖見積金額
  - ❖各機能の見積工数情報

　そして、**レビューの大事なポイントは、個人の感覚に偏った見積にならないようにすること**です。もう1名のPMのチェックをすることにより、客観性やもう1名の経験が加味され、より見積の精度が高まります。

　なお、本書ではシステム開発費に焦点を当てていますが、実際の見積レビューでは、お客様への提案に必要な資料や、ランニングコストの見積などもレビューします。

　以上で見積の手順は完了となります。

第2章
8

# 見積の手順のまとめ

　ここまで見積の手順について説明しましたが、見積手順のまとめとして、システム開発における「見積のフロー」を再掲します。

■見積のフロー（再掲）

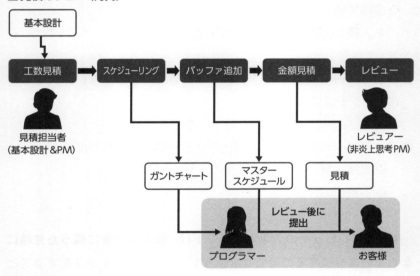

　手順としてやることが多いと感じる方もいるかもしれませんが、やっていることはシンプルで、難しいことはしていません。
　見積として最低限考えて整理しなければいけないことを手順にしているだけです。

成功確率が高く、精度の高い見積をするために、見積手順の各工程における大切なことを再掲します。

　「工数見積」で大切なことは、まずは基本設計が完了している点です。次に作業指示できるレベルで作業内容を整理したうえで、人に依存しない無理のない工数で見積ることです。

　「スケジューリング」で大切なことは、工程ごとに整理した見積工数をベースに、工程ごとにスケジューリングをすることです。アウトプットのスケジュールにおいて、開発メンバーに胸を張って説明ができるガントチャートが作成できる内容であれば、精度の高いスケジューリングができているはずです。

　「バッファ追加」で大切なことは、バッファを追加し、お客様と約束を守れるスケジュールにすることです。

　「金額見積」で大切なことは、バッファ追加後の人件費を基に算出することです。

　「レビュー」で大切なことは、計画に問題ないか確認すること、無理をしようとしないことです。レビュー後に、お客様に見積金額を提示することができます。

　ここまでの見積の手順を、ぜひ、ご参考にしていただければ幸いです。

# memo

# 第3章
# ケーススタディ

# 第3章 ケーススタディの説明内容
## 1

　本章「ケーススタディ」では、実際の業務で行われるさまざまな見積ケースについて説明していきます。

　基本的な考え方としては、第1章「見積のポイント」、第2章「見積の手順」で説明した内容がベースになります。

　大切な考え方は、どのような状況でも、システム開発においては、精度の高い工数見積をして無理のない計画をすることです。理由は、**計画的でなければ、プロジェクト管理のステータスとしては常に「どうなるかわからない」**となるためです。

　たとえばお客様に「状況はどうですか？問題ないですか？」と聞かれても、無理な計画をしている場合や炎上している場合、恐らく根拠はないですが「大丈夫です」「なんとかします」と回答すると思いますが、ステータスとしては「どうなるかわからない」となります。理由は成功確率の高い計画ができていないためです。

　逆に、**どのような状況でも「計画通りです」というステータスであるべきです。そのためには成功確率の高い無理のない計画を作成し、常にその計画通りの状況をキープする必要があります。**

ケーススタディでは以下の内容について説明していきます。

●システム開発費以外の見積例

●追加開発時の見積例

●お客様の予算に合わない場合の考え方

●お客様の予算に合わない場合の対応例

●テンプレートシステムを利用した開発の見積例

●開発中に要件が変わった場合

●要件定義前の概算見積

●炎上プロジェクトの仕切り直しの考え方

# 第3章 システム開発費以外の見積例

**2**

## 3.2.1 基本的な考え方

第2章の「見積の手順」の説明に利用した「売上閲覧Webシステム」に関連する以下の見積について、基本的な考え方について説明します。

● インフラ購入費・使用費
● 要件定義費
● 保守運用費

まず、インフラ費用については、システムに必要なサービスやツールを洗い出して、利用量を想定して見積をします。

次に、要件定義費や保守運用費についてですが、基本的な見積方法はシステム開発時と同じで、工数の説明ができるレベルで作業を書き出し、工数を出して月単位の人員ベースで見積をします。

ただ、保守運用費は一般的な相場があったり、総工数が1人月に満たないケースの場合もあったりしますので、その場合は別途調整が必要です。

## 3.2.2 インフラ購入費・使用費の見積例

それでは、見積で利用したシステムのインフラ費用について、初期投資が不要でメンテナンスコストを低くできるクラウドサービスを利用する形で見積をすることにします。

見積手順としましては、機能要件と非機能要件を加味して、次のよ

うな必要な構成と利用量を想定し、インフラのクラウドサービスの見
積機能を使って見積をしたり、過去の実績などをベースにしたりして
算出します。

■ インフラ購入費

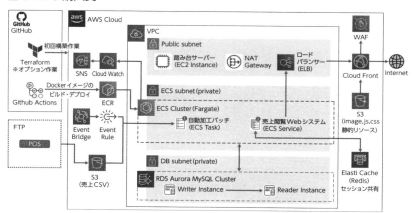

　見積の結果は以下のようになりました。クラウドサービス利用料な
どのランニングコストの見積はお客様が予算を立てる際に利用するた
め、運用中に想定以上に高い利用料金とならないようにやや多めに計
上しておきます。

● 初期費用なし
● 検証環境月額10万円
● 本番環境月額20万円

### 3.2.3 要件定義費の見積例

　要件定義費の見積については、基本的には工数の説明ができるレベルで作業を書き出し、工数を出して月単位の人員ベースで見積をします。

**■要件定義費**　　　　　　　　　　　　　※工数は人日、各作業にレビュー、ヒアリング、説明・提案、再検討を含む

| 作業内容 | 作業内容 | 工数 | 小計 |
|---|---|---|---|
| 業務要件定義 | 旧業務フローの整理（売上情報の確認と分析作業） | 3.0 | |
| | 課題の整理 | 2.0 | |
| | 課題対応 | 2.0 | |
| | 新業務フローの作成 | 3.0 | 10.0 |
| 機能要件定義 | システム概要図作成 | 1.0 | |
| | 機能一覧作成 | 1.0 | |
| | 画面フロー図作成 | 1.0 | |
| | 基本設計（5機能）作成 | 6.0 | |
| | ER図作成 | 1.0 | 10.0 |
| 非機能要件定義 | 可用性：稼働率／バックアップ要件／大規模災害対応の要件を加味したインフラ検討 | 1.0 | |
| | 性能・拡張性：性能目標／拡張性の要件を加味したインフラとアプリケーションの検討 | 1.0 | |
| | 運用・保守性：運用時間／バックアップ／運用監視／マニュアル／メンテナンスの要件を加味したインフラとアプリケーションの検討 | 2.0 | |
| | 移行性：移行データの要件を加味したインフラとアプリケーションの検討 | 1.0 | |
| | セキュリティ：セキュリティの要件を加味したインフラとアプリケーションの検討 | 2.0 | |
| | システム環境・エコロジー：法的制限／耐震の要件を加味したインフラとアプリケーションの検討 | 1.0 | 8.0 |
| システム化計画 | 検討結果を基にシステム開発の計画 | 5.0 | |
| | システム化計画提案と再検討 | 7.0 | 12.0 |
| 合計 | | | **40.0** |

要件定義費の見積表の内容は、見積手順で利用したシステム開発内容をベースに、要件定義費の作業内容と工数の例を示しています。

　経験上、中小規模のシステム開発ではだいたい2ヶ月〜3ヶ月の要件定義期間が必要になります。

　どうしても急ぎの状況では、上級者であれば、急げば1ヶ月でも対応可能かもしれませんが、残業前提になりますし、提案内容に対してお客様が検討をしたり承認をしたりするので、間に合わない可能性があるためお勧めしません。

　要件定義フェーズでは、担当者は、顧客対応はもちろん、業務分析や基本設計が十分にできるPMが実施することを前提にしているため、今回の難易度では上記予定工数で十分と考えています。もちろん、工数はそのときの状況や環境に応じて、対応できる工数に調整してください。

　よって、今回のケースでは、仮に売単価が1人月あたり120万円だとすると、2ヶ月で240万円となります。

　要求内容の規模が大きくなれば、当然、要件定義の工数は増えていきます。増加する作業内容としては、業務フローの分析量や基本設計をする機能量などが増えていきます。また、お客様も含め、体制を組んで、十分に要件分析を実施する必要があります。

　なお、**要件定義では、基本的には基本設計まで含めてください。理由はシステム開発の見積の精度を高めたいため**です。

# 3.2.4 保守運用費の見積例

保守費と運用費は、合わせて契約することが多いと思います。

保守運用費は一般的な相場として、システム開発費の15%と言われています。ただし、特殊な技術者が必要だったり、求められる作業量が多かったり、高いサービスレベルが必要な場合は、状況に応じた料金にするべきです。

ここでは、例として、仮にお客様の予算内のサービスを前提とし、前述したシステム開発費約1500万円に対する15%の保守運用費の見積内容を示します。すると、保守運用費はシステム開発費1500万円の15%となり年間225万円となります。ここでは計算をわかりやすくするために1月当たり18万円（実際は18,753円）とします。基本単価120万円/月をベースに作業時間に換算すると1月当たり24時間となり、1月当たり3人日です。

なお、運用保守なので、月によっては作業がない場合もあるため、稀に作業量に対し値引きの交渉をされることがあります。しかし、運用保守をするにも計画的に体制を準備しておく必要があり、体制維持のためには固定の金額がかかります。そのため、作業がなくても体制維持にコストがかかるため当然費用は発生すると説明することができます。

また、契約としては、1月あたり3人日を超える場合は、追加料金で対応可能としておきます。たとえば、保守対応で使用言語のバージョンUP対応が発生した場合、多くの作業やテストが必要になるため、追加料金なしで対応をすることは難しいです。

以下に、見積説明で使う際の保守と運用の作業リストを参考までに示します。

　場合によっては、別の作業内容を追加したり、作業量を具体的に記載したりして、作業量ベースで見積するケースもあります。

　こちらは保守の作業内容です。

■ 保守の作業内容　　　　　　　　　　　　　　　　　※各作業にレビューを含む

| 作業区分 | 作業内容 |
|---|---|
| 定常時対応 | 機能に関する問い合わせ対応 |
| | インフラに関する問い合わせ対応 |
| | ソフトウェアやミドルウェアに関するバージョンアップ対応 |
| | インフラに関するバージョンアップ対応 |
| 障害発生時対応 | ソフトウェアの不具合に対する調査 |
| | インフラの異常に対する調査 |
| | ソフトウェアの不具合に対する修正・テスト設計・テスト実施 |
| | インフラの異常に対する設定変更・テスト設計・テスト実施 |

　こちらは運用の作業内容です。

■ 運用の作業内容　　　　　　　　　　　　　　　　　※各作業にレビューを含む

| 作業区分 | 作業内容 |
|---|---|
| 定常時対応 | ソフトウェアの障害監視 |
| | インフラの監視 |
| | 定常的なプログラムリリース作業 |
| | 定常的なバックアップ作業 |
| 障害発生時対応 | 不具合の受付、切り分け報告等のインシデント管理 |
| | 不具合改修プログラムのリリース作業 |
| | 不具合対応時のバックアップ作業 |
| ユーザーサポート | マスタメンテナンス作業 |

# 第3章 追加開発時の見積例

## 3.3.1 追加開発の内容

　ここでは、第2章で説明した「売上閲覧Webシステム」に、お客様から「売上情報取得API機能の追加開発」の見積依頼があったと想定し、追加開発の見積の例を説明していきます。

　追加開発の依頼内容は、お客様が別途利用している「店舗管理Webシステム」に、当該システムの期ごと店舗ごとの売上情報をAPI経由で渡し、売上情報を画面に表示したいという内容です。

　システム概要図に、③の内容を追加しました。

■ 追加開発の内容

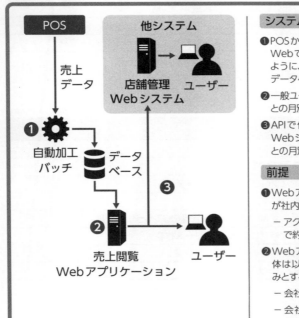

以降にて、追加開発の基本設計や見積をしていきます。

##  3.3.2 追加開発の基本設計

売上情報取得APIの基本設計です。

機能フロー図と機能概要とインターフェース定義です。

■追加開発のAPIの基本設計

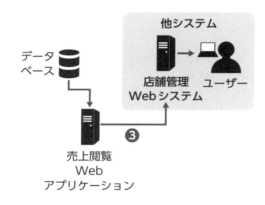

・**機能概要**

- APIで他システムの店舗管理Webシステムに期ごと・店舗ごとの月別売上データを連携する

・**インターフェース定義**

- 売上情報取得APIのインターフェース
  - ・URL
    - https://{ドメイン}/api/v1/sales/term/{term}/store/{store_id}
    - メソッド get
  - ・データ形式
    - JSON
    - 文字コード UTF-8
  - ・リクエスト項目
    - 期(term)/必須/半角数字1～10桁

－ 店舗ID(store_id)／必須／半角数字1～10桁
－ APIキー(X-Sales-Api-Key)／必須／半角英数字記号1～30 ※ヘッダー項目
・レスポンス項目
－ 売上データ配列(sales_list)／対象データなしは空[]
>> 期(term)／必須／半角英数字／1～10桁
>> 店舗ID(store_id)／必須／半角数字／1～10桁
>> 月(month)／必須／半角数字／1～2桁
>> 売上金額(sales)／必須／半角数字／1～15桁／対象データなしは0
－ 処理結果(result)／必須／半角数字1桁／正常時0 エラー時1～99
－ エラーメッセージ(error_message)／半角英数字／0～50桁
－ JSONイメージ

```
{
  "sales_list":[
    { "term" : 1 , "store_id" : 101 , "month" : 1 , "sales" : 1234567 },
    { "term" : 1 , "store_id" : 101 , "month" : 2 , "sales" : 1234568 },
        ～
    { "term" : 1 , "store_id" : 101 , "month" : 12 , "sales" : 1234569 }
  ],
  "result" : 0 ,
  "error_message" : null
}
```

－ エラーコード
・1 期の未設定エラー(The term is required.)
・2 店舗IDの未設定エラー (The store_id is required.)
・3 期の形式エラー(The term is invalid.)
・4 店舗IDの形式エラー (The store_id is invalid.)
・5 期の存在チェックエラー(The term does not exist.)
・6 店舗IDの存在チェックエラー (The store_id does not exist.)
・99 APIキー認証エラー、その他のエラー (Unexpected Error.)
・その他はHTTPステータスを利用

　シンプルな基本設計ですが、システム開発工程において、機能設計が可能なレベルの設計はできています。

　なお、前提として、お客様及び他システムとは上記内容で合意が得られていることとします。

### 3.3.3 追加開発における見積方法

　見積の手順については、ここまで説明してきた、以下の見積手順の通りとなります。基本的には、どのような見積でも以下のフローが大切になります。

■ 見積のフロー

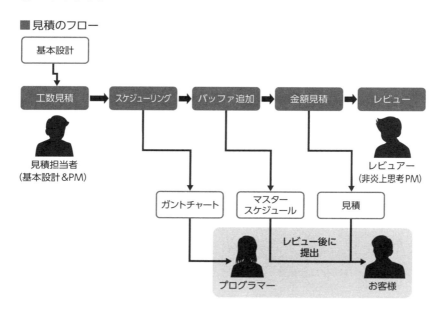

　それでは、次頁以降にて、追加開発時の見積例を示していきます。

### 3.3.4 追加開発の工数見積

売上情報取得APIの工数見積です。

■売上情報取得APIの工数見積

| 機能内容 | 設計 | PG | UT<br>設計 | UT<br>実施 | IT<br>設計 | IT<br>実施 |
|---|---|---|---|---|---|---|
| APIで他システムの店舗管理Webシステムに期ごと・店舗ごとの月別売上データを連携する<br>・当該APIの基本プログラムファイルの準備（疎通まで含む）<br>・リクエスト情報取得 | 1.0 | 2.0 | 3.0 | 4.0 | 1.5 | 2.0 |
| 売上データをDBより取得する<br>・期と店舗を指定して、12ヶ月分の売上情報を取得する<br>・期と店舗は存在するが、対象の売上がない月の売上は0を設定 | 0.5 | 0.5 | | | | |
| バリデーション処理<br>・期の未設定エラー<br>・店舗IDの未設定エラー<br>・期の形式エラー<br>・店舗IDの形式エラー | 0.5 | 0.5 | | | | |
| マスタテーブル存在チェック処理<br>・期の存在チェックエラー<br>・店舗IDの存在チェックエラー | 0.5 | 0.5 | | | | |
| その他の例外処理<br>・APIキーの認証チェックエラー処理<br>・その他の内部検知エラー処理<br>・その他のIF違反についてはHTTPステータスを400に指定し返却 | 0.5 | 1.0 | | | | |
| レスポンス情報設定<br>・正常時の設定<br>・エラー時の設定 | 0.5 | 0.5 | | | | |
| テストドライバーの作成 | 0.5 | 0.5 | | | | |
| テストコードの作成 | | 3.0 | | −1.0 | | |
| 小計 | 4.0 | 8.5 | 3.0 | 3.0 | 1.5 | 2.0 |
| 合計 | | | | | | 22.0 |

今回はAPI開発のためテストコードの作成タスクを追加しています。なお、テストコードは繰り返し行うテストを効率的にしてくれるため、保守時の品質キープに重要な役割を担います。

また、保守時には開発時のメンバーが保守をしているとはかぎりませんし、改修が発生するタイミングは数年後かもしれません。そのような状況下で修正が行われても、テストコードがあれば安心です。

UT課題対応の工数見積です。

■UT課題対応の工数見積

| 作業内容 | 設計 | PG | UT設計 | UT実施 | IT設計 | IT実施 |
|---|---|---|---|---|---|---|
| 不具合対応（3件相当）<br>課題対応（1件相当） | 1.0 | 2.0 | 1.0 | 1.5 | | |
| 小計 | 1.0 | 2.0 | 1.0 | 1.5 | | |
| 合計 | | | | | | 5.5 |

内部結合テストの工数見積です。

■内部結合テストの工数見積

| 作業内容 | 内部IT設計 | 内部IT実施 | 作業 |
|---|---|---|---|
| シナリオテスト実施<br>・シナリオ例：POS → バッチ → 売上情報取得API<br>・シナリオ例：POS → バッチ → ログイン → ホーム → 売上閲覧 → ログアウト<br>・確認バリエーションの要素：ユーザー、店舗、売上時期（移行、過去期、当期、未来）など　新規開発時のテストケースを流用 | 1.0 | 1.0 | |
| 小計 | 1.0 | 1.0 | |
| 合計 | | | 2.0 |

テスト観点は売上情報取得APIの利用までの全体を通して実行し、

追加要件が問題なく利用できることの確認と、リグレッションテスト
がおもな確認になります。新規開発時の全量パターンは確認せず、必
要な範囲で実施します。なお、内部結合テストではAPIの確認はドラ
イバーを利用します。

IT課題対応の工数見積です。

**■IT課題対応の工数見積**

| 作業内容 | 設計 | PG | UT設計 | UT実施 | 内部IT設計 | 内部IT実施 |
|---|---|---|---|---|---|---|
| 不具合対応（1件相当）<br>課題対応（1件相当） | 0.5 | 1.0 | 0.5 | 1.0 | 0.0 | 0.5 |
| 小計 | 0.5 | 1.0 | 0.5 | 1.0 | 0.0 | 0.5 |
| 合計 | | | | | | 3.5 |

総合テストの工数見積です。

他システムとの外部結合テストに合わせて、全体のリグレッション
テストをします。新規開発時の全量は確認せず、必要な範囲で実施し
ます。

**■総合テストの工数見積**

| 作業内容 | ST設計 | ST実施 | 作業 |
|---|---|---|---|
| シナリオテスト実施<br>・シナリオ例：POS → バッチ → 店舗管理Webシステムの画面（売上情報取得API）<br>・シナリオ例：POS → バッチ → ログイン → ホーム → 売上閲覧 → ログアウト<br>・確認バリエーションの要素：ユーザー、店舗、売上時期（移行、過去期、当期、未来）など<br>・設計書は内部結合テストで利用したものを一部流用する | 1.0 | 1.0 | |
| 小計 | 1.0 | 1.0 | |
| 合計 | | | 2.0 |

総合テストの課題対応の工数見積です。

■総合テストの課題対応の工数見積

| 作業内容 | 設計 | PG | UT設計 | UT実施 | ST設計 | ST実施 |
|---|---|---|---|---|---|---|
| 不具合対応（1件相当）<br>課題対応（1件相当） | 0.5 | 1.0 | 0.5 | 1.0 | 0.0 | 0.5 |
| 小計 | 0.5 | 1.0 | 0.5 | 1.0 | 0.0 | 0.5 |
| 合計 | 3.5 | | | | | |

追加開発分の工数見積については以上です。

なお、今回の追加開発では、基本機能の開発、移行とインフラ設定の変更は作業なしとします。

追加開発全体の見積を整理します。

■追加開発全体の見積

| 分類 | 設計 | PG | UT設計 | UT実施 | 内部IT設計 | 内部IT実施 | インフラ設計 | インフラ作業 | 外部IT設計 | 外部IT実施 | 移行準備 | 移行作業 | ST設計 | ST実施 | 小計 |
|---|---|---|---|---|---|---|---|---|---|---|---|---|---|---|---|
| 基本機能 | - | - | - | - | - | - | - | - | - | - | - | - | - | - | - |
| 開発工程 | 4.0 | 8.5 | 3.0 | 3.0 | - | - | - | - | - | - | - | - | - | - | 18.5 |
| UT課題 | 1.0 | 2.0 | 1.0 | 1.5 | - | - | - | - | - | - | - | - | - | - | 5.5 |
| 結合以降 | - | - | - | - | 1.0 | 1.0 | - | - | 1.5 | 2.0 | - | - | 1.0 | 1.0 | 7.5 |
| IT課題 | 0.5 | 1.0 | 0.5 | 1.0 | 0.0 | 0.5 | - | - | - | - | - | - | - | - | 3.5 |
| ST課題 | 0.5 | 1.0 | 0.5 | 1.0 | - | - | - | - | - | - | - | - | 0.0 | 0.5 | 3.5 |
| 小計 | 6.0 | 12.5 | 5.0 | 6.5 | 1.0 | 1.5 | - | - | 1.5 | 2.0 | - | - | 1.0 | 1.5 | - |
| 合計 | 38.5 | | | | | | | | | | | | | | |

見積を見ると、「APIを１機能追加開発するだけで約２人月かかるのですか?」と思う方もいると思います。

　もちろん、簡単な設計書を作成し、PG工程と簡単な動作確認の実施、そして、他システムと簡単な動作検証をして、メインの画面機能をリグレッションテストしてリリースをするだけとすれば、1月でリリースすることも可能でしょう。ただし、恐らくリリース後になにか課題が発生することになるでしょう。

　しかし、このような仕事内容はたとえお客様が望んだとしても、いつまでも続けられません。厳しい工数のなかで仕事をすることが常習化している環境は、開発メンバーにとっては納得のできない仕事内容になったり、残業が多くなったりするため、人材の流動化が激しくなります。

## ⚙ 3.3.5 追加開発のスケジューリング

　追加開発の簡易的な内部用スケジュールです。開発は期間の長さによるリスクヘッジが重要なため、全行程ができる開発担当者１名で２ヶ月を想定してスケジュールを考えます。

　内部用スケジュールを確認すると、1ヶ月目に単体テスト実施まで完了し、2ヶ月目にUT課題対応からはじまり総合テストまで完了します。また、1ヶ月目は少しバッファがありますが、2ヶ月目はバッファなしで予定が組まれている状況です。各月の余剰工数が少ない点にリスクはあります。

　なお、細かな点の補足ですが、外部結合テストのタイミングは、他

システムのスケジュールとタイミングを合わせることができたと仮定
します。

■追加開発の簡易スケジュール

| 作業工程 | N月 | N月+1 | N月+2 | 見積工数 | 各工程上限工数 | 小計 | 設定工数チェック |
|---|---|---|---|---|---|---|---|
| 基本機能/設計 | | | | - | - | - | - |
| 基本機能/PG | | | | - | - | - | - |
| 設計 | 4.0 | | | 4.0 | 20.0 | 4.0 | OK |
| PG | 8.5 | | | 8.5 | 20.0 | 8.5 | OK |
| UT設計 | 3.0 | | | 3.0 | 20.0 | 3.0 | OK |
| UT実施 | 3.0 | | | 3.0 | 20.0 | 3.0 | OK |
| UT課題/設計・PG | | 3.0 | | 3.0 | 20.0 | 3.0 | OK |
| UT課題/テスト | | 2.5 | | 2.5 | 20.0 | 2.5 | OK |
| 内部IT設計 | | 1.0 | | 1.0 | 20.0 | 1.0 | OK |
| 内部IT実施 | | 1.0 | | 1.0 | 20.0 | 1.0 | OK |
| インフラ設計 | | | | - | - | | |
| インフラ作業 | | | | - | - | | - |
| 外部IT設計 | | 1.5 | | 1.5 | 20.0 | 1.5 | OK |
| 外部IT実施 | | 2.0 | | 2.0 | 20.0 | 2.0 | OK |
| IT課題/設計・PG | | 1.5 | | 1.5 | 20.0 | 1.5 | OK |
| IT課題/テスト | | 2.0 | | 2.0 | 20.0 | 2.0 | OK |
| 移行準備 | | | | - | - | | - |
| 移行作業 | | | | - | - | | - |
| ST設計 | | 1.0 | | 1.0 | 20.0 | 1.0 | OK |
| ST実施 | | 1.0 | | 1.0 | 20.0 | 1.0 | OK |
| ST課題/設計・PG | | 1.5 | | 1.5 | 20.0 | 1.5 | OK |
| ST課題/テスト | | 2.0 | | 2.0 | 20.0 | 2.0 | OK |
| リソース上限工数 | 20.0 | 20.0 | | | | | |
| 小計 | 18.5→OK | 20.0→OK | | | | | |
| 設定工数チェック | −1.5 | 0.0 | | | | | |
| 合計 | | | | | | | 38.5 |

次に、品質の観点についてですが、システム開発をするうえで品質
のためには開発担当者1名で進めるより、PG担当とテスト担当を分け

たほうがよいのですが、今回の場合、期間の長さが短くなることのほうがリスクがあります。2名で1ヶ月間の開発をしようとすると、計画も無理があるうえに、1月だけの人員の調達は、実際は難しいです。

　また、API開発においてはAPIを利用する側の開発期間や外部結合テストのタイミングについても考慮が必要になります。そのため、全体を考えると、急いで1ヶ月でリリースすればよいというわけではありません。

　よって、今回は1名で2ヶ月間のスケジュールにしています。この場合、スケジュールと品質面の担保は、PMの作業指示とレビューでカバーする必要があります。

## ⚙ 3.3.6 追加開発のバッファ追加

　他システムとのAPI連携の開発において、バッファ追加を考える場合、まず想定できるリスクとしては、インターフェースの仕様変更や認識違いによる追加対応が考えられます。想定内のバッファについては、新規開発と同じく、あらかじめ「UT課題」「IT課題」「ST課題」で工程として用意しておきます。

　次のリスクとしては、スケジュールのバッファが少ない点です。1ヶ月目にはスケジュール的に余剰が1.5人日あるが、外部結合テストなどがはじまる2ヶ月目については余剰がない状況です。しかし、1名による小規模開発のため、課題工程に用意したバッファとPMのフォローで十分対応できると考えます。

　よって、想定外のバッファは多く取る必要はないため、バッファ追加としては、重要な工程の完了予定日を数日延ばす対応を考えます。

重要な工程としては、開発工程、外部結合テスト、総合テスト、受入テスト、リリース日が候補となりますが、小規模開発のため、課題の工程だけで十分にバッファとなると考えます。

よって、今回のバッファ追加は、開発工程の完了予定日を3日ほど長くするだけの対応とします。

###  3.3.7 追加開発のマスタースケジュール作成

バッファ追加前のマスタースケジュールです。

■追加開発のマスタースケジュール_バッファ追加前

| タスク | | N月 | N月+1 | N月+2 |
|---|---|---|---|---|
| 開発 | | | | |
| | 設計 | | | |
| | PG | | | |
| | UT設計 | | | |
| | UT実施 | | | |
| | 内部結合テスト | | | |
| 外部結合テスト | | | | |
| 総合テスト | | | | |
| 受入テスト（お客様） | | | | |
| リリース | | | | |
| 運用 | | | | |

次に、バッファ追加後のお客様と約束できるマスタースケジュールです。

■追加開発のマスタースケジュール_バッファ追加後

| タスク | | N月 | N月+1 | N月+2 |
|---|---|---|---|---|
| 開発 | | | | |
| | 設計 | | | |
| | PG | | | |
| | UT設計 | | | |
| | UT実施 | | | |
| | 内部結合テスト | | | |
| 外部結合テスト | | | | |
| 総合テスト | | | | |
| 受入テスト（お客様） | | | | |
| リリース | | | | |
| 運用 | | | | |

### 3.3.8 追加開発の金額見積

　システム開発費の金額見積における売単価とコストは新規開発時と
同じ設定とし、単価が一律120万円でコストも一律100万円とします。

　システム開発費の金額見積のための人員構成としては、開発担当者
が1名とPM1名が2ヶ月で開発します。

　なお、3ヶ月目上旬に受入テストとリリースがありますので、既存の
保守体制だけでは足りない可能性があるので、1名あたり0.2人月ほ
ど開発体制を延長した契約にします。

■追加開発の金額見積

| 作業者 | N月 | N月+1 | N月+2 | 対応期間 | 売上（万円） | コスト（万円） | 役割 |
|---|---|---|---|---|---|---|---|
| A氏 | ○ | ○ | △ | 2.2ヶ月間 | 264 | 220 | 設計、PG、テスト |
| E氏 | ○ | ○ | △ | 2.2ヶ月間 | 264 | 220 | PM・PL |
| 工程 | 設計/PG | テスト | リリース | 合計 | 528 | 440 | ー |

見積の結果、システム開発費としては528万円、コストは440万円、利益は88万円で、利益率が約17%です。

　なお、上記の単価やコストは仮の金額ですので、現実ではもう少し利益率は高いと思います。いずれにしても利益率をコントロールするためには単価を上げるか人材コストの単価を下げることになります。

　何度も言いますが、利益率を高めるために、作業工数を減らすことで利益を出そうとする行為はやめるようにしましょう。理由は、計画性のない仕事となり、お客様や開発メンバーに迷惑をかける可能性があるためです。

## ⚙ 3.3.9 追加開発のレビュー

　今回のレビューの結果としては、システム開発の計画や工数、スケジュールにおいて、問題はありませんでした。

　技術面で、APIのセキュリティがAPIキーだけで大丈夫か、トークンなどにしたほうがよいのではないかという懸念点がありましたが、社内システムからの呼び出しのため、IP制限をかけるため問題ないと判断しました。

　人材の調達や調整も問題ないとします。

　ビジネス面では、工数の算出やスケジュールに問題なく、計画通りに進められそうなため利益を失うリスクは少ないと考えます。見積金額については、人材の山積みに対し所定の売単価とコストで金額を算出しているので、所定の利益を確保できるため、問題ないと判断します。

# 第3章 4 お客様の予算に合わない場合の考え方

## ⚙ 3.4.1 複数パターンの見積の用意

　お客様の予算が、お客様の要望を叶えるために必要となる費用より少ない場合、はじめから値引きをした提案をするよりは、まずは以下のような見積パターンを用意して、お客様に選んでいただくことを推奨します。

● お客様の要望をすべて満たすシステムの見積
● お客様の予算に合わせた機能による見積
● 上記2パターンの中間の見積

　そのため、見積時にお客様の予算のことを考えて見積をする必要はありません。こちらは、予算だけでなくお客様が指定するスケジュールについても同じです。予算やスケジュールを意識して見積をすると、どうしてもお客様に合わせて工数を減らしてしまう傾向があります。要望をすべて叶えたい場合は予算を増やしていただくことがあるべき姿です。ただし、お客様は複数のシステム会社に見積依頼をすることが多いです。そのため、仕事を受注するためには金額調整が必要になります。

　しかし、なかには値引きではなく、利益欲しさのために、無理やり見積工数を減らしてしまい、見積金額をお客様の予算に合わせてしまう方がいますが、工数を減らしてしまうと計画性が低くなるため、プロジェクトが成功しない可能性があります。また、リリースはできたとしても残業が多いプロジェクトになるため、体制が長続きしなくなるためお勧めしません。

**3.4.2 見積の妥当性の説明方法**

　お客様に見積を提示すると、お客様から見積の工数や単価の妥当性の説明を求められることがあります。ここでは、お客様の予算に合わせた見積を提案した後であり、見積工数が正しいという前提で話を進めます。

　基本的には、前述した手順にのっとり、**見積時に作業内容をできるかぎり多く記載しておけば説明がしやすくなります。**

　なお、お客様によっては他社の低工数の類似実績やお客様独自の標準単価などを引き合いに出されることがありますが、実態を省みているとはかぎりません。逆に、参考として詳細な根拠資料を求めてもよいでしょう。大小さまざまな企業のプロジェクトを経験してきましたが、正直なところ、そもそも健全な見積実績は多くはありません。そして、少ない見積金額による開発では、品質が悪かったり開発時のメンバーへの負荷が高かったりすることが多いです。

　そのため、システム開発会社は詳細な説明を十分にしたら、「これまで高品質で成功してきた実績を基準にした工数です」「開発メンバーへの支払い額はすでに決まっているため、単価は変更できません」と**勇気をもって説明することが大事**です。契約の基準金額があるような大手企業でも、説明すれば希望金額で契約することは可能です。

　しっかりとした計画と優秀なメンバー達への報酬額を考えれば、他社の工数や単価は気にする必要はありませんし、変更するものではありません。

　**コンペなどで、どうしても減額をしなければ受注できない場合は、工数や単価は変えず値引きで対応**しましょう。

　説明は大変なのですが開発メンバーの私生活がかかっているため、**説明準備と諦めないで説明しきることが大切**になります。

### ⚙ 3.4.3 見積金額を減らす方法

前提として、作業内容を減らさず見積工数だけを減らすことはしません。

まず、**見積金額を減らす方法としては、「やることを減らす」**になります。

たとえば、以下のようなことを提案できます。

● 構築対象の機能を減らす
● 一部の作業をお客様に対応いただく

構築対象の機能を減らすことはわかりやすいですし、現実的です。それでも、さらにやることを減らしたい場合は、移行作業やマニュアル作成などをお客様に対応いただくことも可能です。

なお、やることを減らしたとしても、システム開発会社にとって大切なことは、おもなコストは人件費であり、人件費は基本的に月単位のため、やることを人月単位で減らさなければ場合によっては赤字になってしまうので注意が必要です。

たとえば、仮に0.5人月分の機能を減らしても、1.0人月の人件費がかかってしまったら、場合によっては赤字になってしまいます。そのため、減らすのであれば、1.0人月分の機能を減らし、人件費も1.0人月分減らさないと、利益率に大きな影響を及ぼしてしまいます。

よって、基本的には1.0人月単位で削減を提案する必要があります。

次に、見積金額を減らす方法としては、「投資」という考え方に変えることです。

　お客様にとっては、単純に「値引き」ですが、システム開発会社の社内的には「値引き」ではなく「投資」という扱いにするのです。

　たとえば、「次も仕事をいただくために値引きをする」、「値引きするならば、システムの著作権はお客様には譲渡せず他社展開に利用するために自社が保持する」などです。

　最後に、念のための注意点ですが、値引きは値引きでも、売単価を安くする方法による値引きはお勧めしません。理由は売単価を安くすると、次回以降の金額交渉まで影響しかねないためです。

　お客様によっては、売単価の妥当性の説明を求めてくる場合もあります。
　もちろん付加価値の説明はしますが、正直に「単価は給与テーブル及び事業計画と関係しているので、そもそも変更できません」と説明してしまってもよいと考えます。

　**値引きをする際は、合計金額に対し、単純に値引きをすることをお勧めします。** 理由は単純な値引きは一過性であり、次回の金額交渉がややこしくならないためです。

### 3.4.4 事前の工数削減対応

　お客様の予算に合わせることは大変です。そのため、事前の準備が大切になります。そこで、有効的な準備としては、1からシステム開発をするのではなく、これまで何度かお伝えしている「テンプレートシステム」をあらかじめ用意しておき、テンプレートシステムを利用して開発をしていくことです。

　また、テンプレートシステムの利用が難しい場合の工数削減対応方法としては、以下があります。なお、どれも対応がマストでない場合の削減案です。

● デザインをシンプルにする
　❖ デザインにこだわる場合、デザイン作成工程やデザイン反映工程が増えます。
● フロントエンド・バックエンドと分けない
　❖ フロントエンドとバックエンドに分ける場合、単純に作業工数が増えます。たとえば、バリデーションなどはフロントエンドとバックエンドに実装が必要になります。
● テストにて、テストコード作成をしない
　❖ もちろん、テストコードは予算があれば作ります。ただし、Webシステムにおいて予算に制約がある場合、機能と品質の保証確認は実際の動作確認がまずは必須となります。テストコードによるテストは、予算があれば実施となります。

　なお、これら削減対象の一部の対応については、低予算のなかでも、あらかじめ、テンプレートシステムに組み込んであれば、対応が可能になります。

**3.4.5 それでも工数圧迫が必要な場合**

　不景気で仕事がない場合などで、どのような仕事でもやらなければならない状況下の場合、無理なスケジュールの仕事を請ける可能性がありますが、それでも基本的に、**工数の圧迫はしません**。

　理由は、作業内容が変わらないのに工数が減ることはないからです。計画の根拠がなくなり、予定通り納品することが難しくなるため絶対にやりません。

　無理なスケジュールの仕事を請ける状況下は、無理をして利益を出す必要はなく、赤字にならなければ十分です。人員をキープできる売上が立てられれば十分です。必ずしも利益を出す必要はありません。理由は一時的な目の前の利益のために無理をしても、開発メンバーとの信頼関係を失ったり、品質の悪いシステムを構築してお客様との信頼関係を失ったりしてしまいます。

　そのため、無理なスケジュールの場合は、無理してすぐに利益は追わず、体制をキープして利益につながるチャンスを待つほうが得策だと考えます。

　ただし、残業をお願いするケースもあります。たとえば、プログラマーの調達に失敗し、残業を前提とした仕事をする場合や、会社が全体的に赤字の状況で利益を出すしかない場合などです。

　その場合は、PMも精一杯フォローすることを前提に、状況を開発メンバーに説明し、稼働時間や稼働日を短期的に増やさせていただくことを、心からお願いするしかありません。ただし、残業を前提とした計画は、余裕がない状況のため、計画が遅れるリスクはあります。

## 3.4.6 予算と計画性

　現状、システム会社がシステム開発を受注する際には、お客様にはすでに予算やスケジュールがあることが多いと思います。しかし、お客様で決めた予算とスケジュールが厳しい条件の場合、システム開発における理想的で計画的な体制やスケジュールを組むことが難しくなり、システム開発の難易度が非常に高くなります。

　これまで多くの企業でたくさんの失敗プロジェクトを見たり聞いたりしてきましたが、その多くの原因は、見積時の計画性の低さにあると考えています。システム開発会社はお客様の予算に合わせようとして、無理な計画にしてしまうケースが多いです。無理な計画は、スケジュールが遅れたり、品質が悪かったりします。結果的にエンドユーザーに迷惑がかかります。

　そのため、お客様に予算があっても無理に予算に合わせるのではなく、無理のない実現性の高い計画を立ててください。

　なお、お客様においては、**見積金額の安さだけでなく、ぜひシステム会社の出す計画が、本当に計画通りに進みそうかを慎重に確認をしてください。特に基本設計前に発注をする場合、計画性と実現性があるか確認をしてください。**

　計画性のあるシステム導入は、成功率も高まり、お客様を含め関係者の負荷が軽減されやすいと考えられます。

　スケジュールが厳しいシステム開発は、当然現場は過酷になりやすく、心を病むメンバーが発生したり、優秀なメンバーが去っていったりします。

　できれば、大切なお客様とお客様のシステムの周りには、優秀なメンバーで囲んであげたいのです。そうすれば、本来起こるはずのない課題の対応にお客様の貴重な時間を使うことはありません。

## 3.4.7 目先の利益ではなく自分のビジョン

　見積金額が予算に合わない場合は、一呼吸置いて、初めに考えていただきたいことがあります。

　私は、仕事を依頼する側もされる側も、目先の利益ではなく会社のビジョンもしくはご自身のビジョンを、改めて見つめてほしいと考えています。

　仕事を依頼する側は安くすればその分、自分の時間が奪われることが多いです。その分、ビジョンの実現が遅れてしまいます。

　仕事を依頼される側は、安くすれば単純に報酬が減ってしまいますし、利益が少なくなるので、その分、ビジョンの実現が遅れてしまいます。なお、利益を確保するために、作業量を減らさずに見積工数だけを減らし、システム開発現場のメンバーを犠牲にした場合は、優秀なメンバーは去っていき、ビジョンの達成はさらに遠ざかります。

　利益への優先度を高くしすぎると、ビジョンから遠ざかることがあります。

　私は、将来自分の仕事を振り返ったときに、自分がやりたかったことができていなかったら後悔していると思います。

　**かぎりある時間は、ビジョンを実現するための時間に使うほうが有意義**だと考えています。

# 第3章 5 お客様の予算に合わない場合の対応例

## 🕸 3.5.1 複数パターンの見積提案の検討概要

　それでは、具体的な値引きについて、第2章の「見積の手順」の説明に利用した「売上閲覧Webシステム」の見積を例に行います。

　なお、お客様の予算は、仮に1,000万円とします。

　まずは、はじめからお客様の予算に合わせて値引きをするのではなく、以下のようなパターンを出して提案します。

● お客様の要望をすべて満たすシステムの見積
● お客様の予算に合わせた機能による見積
● 上記2パターンの中間の見積

　お客様の要望をすべて満たす見積は第2章で算出した見積金額になります。見積金額は1,488万円、コストは1,240万円になります。
　予算は1,000万円のため、予算に合わせるためには約500万円も減額しなければいけません。当然ですが、全額値引きで対応をした場合、簡単に赤字になります。そのため、利益率を変えないように減額するためには、作業内容を減らし、売上とコストをセットで減額させる必要があります。

　減額を考える場合は、まずは人材配置をベースにどのくらいの工数の削減が必要か大まかに考えます。

■ 工数削減を検討時の修正前の見積金額（再掲）

| 作業者 | N月 | N月+1 | N月+2 | N月+3 | 対応期間 | 売上(万円) | コスト(万円) | 役割 |
|---|---|---|---|---|---|---|---|---|
| A氏 | ○ | ○ | ○ | ○ | 4ヶ月間 | 480 | 400 | 設計、PG、テスト |
| B氏 | ○ | ○ | ○ | × | 3ヶ月間 | 360 | 300 | 設計、PG、テスト |
| C氏 | × | ○ | × | × | 1ヶ月間 | 120 | 100 | テスト |
| D氏 | × | ○ | △ | △ | 1.2ヶ月間 | 144 | 120 | インフラ |
| E氏 | ○ | ○ | ○ | △ | 3.2ヶ月間 | 384 | 320 | PM・PL |
| 工程 | 設計 | PG | テスト | リリース | 合計 | 1,488 | 1,240 | － |

　なお、見積工数を減らす場合は、人月単位で削減します。0.5人月で削減をしても、調達の調整次第ですが、基本的には1人月分のコストがかかるためです。

　それでは対応内容削減案を検討してみます。仮に予算内のパターンを目標1,000万円として考えると、1月あたりの売上単価が120万円のため、単純に4人月分を減らせば480万円の削減になります。この際、残金20万円はいったん値引きで処理するとします。

　次に、中間パターンを仮に目標1250万円前後のとして考えると、2人月分を減らせば240万円の削減になります。

　なお、1,000万円も1,250万円も目安とします。無理して金額を合わせて、使えないシステムを提案しても仕方ありません。

　それでは、次項以降にて、中間パターンと予算内パターンの検討例と見積例を示していきます。

**3.5.2 中間パターンの見積の検討例**

　中間パターンの見積を検討します。中間パターンの減額は250万円前後です。そのため、2人月前後の工数を減らします。まずは、俯瞰して削減箇所を探したいため、見積時の山積み資料からどのように減らせるかを検討します。

■ 中間パターンの工数削減を検討時の修正前の見積金額 (再掲)

| 作業者 | N月 | N月+1 | N月+2 | N月+3 | 対応期間 | 売上(万円) | コスト(万円) | 役割 |
|---|---|---|---|---|---|---|---|---|
| A氏 | ○ | ○ | ○ | ○ | 4ヶ月間 | 480 | 400 | 設計、PG、テスト |
| B氏 | ○ | ○ | ○ | × | 3ヶ月間 | 360 | 300 | 設計、PG、テスト |
| C氏 | × | ○ | × | × | 1ヶ月間 | 120 | 100 | テスト |
| D氏 | × | ○ | △ | △ | 1.2ヶ月間 | 144 | 120 | インフラ |
| E氏 | ○ | ○ | ○ | △ | 3.2ヶ月間 | 384 | 320 | PM・PL |
| 工程 | 設計 | PG | テスト | リリース | 合計 | 1,488 | 1,240 | ー |

　さて、対応内容の削減案ですが、お客様にてインフラチームを保有している場合は、インフラ管理はお客様にて対応することもありますので交渉の余地があります。今回は、インフラ構築をお客様に対応していただくことが可能であるとします。

　すると、まずはインフラ構築作業をお客様に対応いただくため1.2人月の削減ができました。中間パターンとしては、別の担当者分の作業にて、残り1人月の削減を考えます。

　なお、前提としてPM工数は基本的に減らしません。理由は、PMの仕事は計画的なプロジェクト進行や、リーディングや品質の担保などをコントロールする役であり、PMはシステム開発における戦略の要

のため、PMの工数は減らしません。

　次の作業削減の考え方としては、工数見積の手順にて算出した各工程を確認し、機能に影響しない作業の削減を検討します。

　各工程を確認した結果、以下の移行作業は作業を切り出しやすいため、削減案として提案できます。

■ 削減案として移行をやめる（再掲）

| 作業内容 | 移行準備 | 移行作業 |
|---|---|---|
| POSデータの登録<br>・移行方針の検討と調整（自動加工バッチを利用する想定）<br>・各環境に登録（検証環境、本番環境、ローカル環境）<br>・事前に過去データを登録<br>・リリース時に直近分の過去データを差分登録<br>・データ量が多く作業に時間がかかる想定 | 2.5 | 3.0 |
| 店舗データの登録<br>・SQL化<br>・各環境に登録（検証環境、本番環境、ローカル環境） | 0.5 | 1.0 |
| 期データの登録<br>・SQL化<br>・各環境に登録（検証環境、本番環境、ローカル環境） | 0.5 | 1.0 |
| ユーザーデータの登録<br>・SQL化<br>・各環境に登録（検証環境、本番環境、ローカル環境）<br>・ユーザーマスタ登録<br>・グループマスタ登録 | 0.5 | 1.0 |
| 小計 | 4.0 | 6.0 |
| 合計 | | 10.0 |

　移行作業はお客様に実施していただくこととします。これで、さらに0.5人月の削減です。

　しかし、移行作業だけを削減しても計10人日のため、0.5人月分しか削減できません。基本的には1人月単位で作業を減らさなければ利益率に影響するため、さらに0.5人月分の削減をするか、移行作業の

削減はやめておくかになりますが、さらに0.5人月分の作業を減らしてシステムの機能として中途半端な提案をするよりは、中間パターンとしては、インフラ作業の削減だけで機能自体はすべて要望通り対応する内容で提案することにします。

###  3.5.3 中間パターンの見積例

　それでは、要望をすべて満たすシステムの見積から、インフラ構築作業を除いた中間パターンの見積結果を示します。

■ 中間パターンの見積例（インフラ作業を除く）

| 作業者 | N月 | N月+1 | N月+2 | N月+3 | 対応期間 | 売上（万円） | コスト（万円） | 役割 |
|---|---|---|---|---|---|---|---|---|
| A氏 | ○ | ○ | ○ | ○ | 4ヶ月間 | 480 | 400 | 設計、PG、テスト |
| B氏 | ○ | ○ | ○ | × | 3ヶ月間 | 360 | 300 | 設計、PG、テスト |
| C氏 | × | ○ | × | × | 1ヶ月間 | 120 | 100 | テスト |
| ~~D氏~~ | ~~×~~ | ~~○~~ | ~~△~~ | ~~△~~ | ~~1.2ヶ月間~~ | ~~144~~ | ~~120~~ | ~~インフラ~~ |
| E氏 | ○ | ○ | ○ | △ | 3.1ヶ月間 | 384 | 320 | PM・PL |
| 工程 | 設計 | PG | テスト | リリース | 合計 | 1,488 →1344 | 1,240 →1120 | ― |

　中間パターンの見積金額は1,344万円となります。コストは1,120万円、利益は224万円、利益率は約17%です。

　参考として、要望をすべて満たすシステムの見積金額は1,488万円で、コストは1,240万円、利益は248万円、利益率は約17%です。

　利益は24万円減りましたが、利益率は変わらず17%です。

工数の削減を1人月単位にすることにより、売上とコストが比例するため、利益率が変わらないのです。

　次に、マスタースケジュールです。

■ マスタースケジュール（インフラをお客様）

| タスク | | N月 | N月+1 | N月+2 | N月+3 |
|---|---|---|---|---|---|
| 開発 | | ███ | ███ | ███▶ | |
| | 設計 | ██▶ | | | |
| | PG | ████ | ██▶ | | |
| | UT設計 | ███ | ██▶ | | |
| | UT実施 | ████ | ███▶ | | |
| | 内部結合テスト | | ██▶ | | |
| インフラ構築 | | | ███ | ██▶ | |
| 外部結合テスト | | | | ██▶ | |
| 移行 | | | | ███▶ | |
| 総合テスト | | | | ██▶ | |
| 受入テスト（お客様） | | | | ███▶ | |
| 研修（お客様） | | | | ██▶ | |
| リリース | | | | | ▶ |
| 運用 | | | | | ███▶ |

　インフラ構築の作業は、お客様にて対応いただく提案となりましたが、ほかのタスクには大きな変更はありませんでした。
　なお、インフラ構築に必要な情報を連携するタイミングやインフラ構築後の外部結合テストなどは、お客様のインフラチームと調整が必要となるため、通常開発時のスケジュールより段取りが複雑になってくるので、スケジュールが遅延しないように注意が必要です。

###  3.5.4 予算内パターンの見積の検討例

　予算内パターンの見積を検討します。予算内パターンの減額は500万円です。そのため、4人月の工数を減らし480万円分減らし、残りは値引きで対応する想定で削減案を検討していきます。

　予算内のパターンとしては、当然、中間パターンで削減するインフラ構築は実施しませんので、まず1.2人月が削減されます。
　移行作業も削減するため、さらに0.5人月が削減されて合計1.7人月となり、残り2.3人月の削減案を考えます。

　2.3人月の削減案となると、開発機能の削減の検討が必要になります。

　なお、課題対応工程やテスト工程などを減らす案もありますが、中小規模のシステム開発では大きな削減にはなりません。削減も可能ですが、検証量が減ったり期間の余裕がなくなったりするため品質が落ちる可能性が高くなります。
　仮にお客様が望んだとしても、品質を落とす行為はサービス事業者として良い仕事ではありません。また、想定外の瑕疵対応が発生しシステム開発会社に不利益を生む可能性があります。

　一時的な目の前の利益を追うことを優先するような、ビジョンがよくわからないビジネスに大切な時間を使うことよりも、ご自身が納得できるビジョンに沿ったビジネスに時間を使うことが大切です。
　さて、構築機能を見渡したところ、画面機能について機能削減をすることは難しいと判断しました。なお、システム開発会社で自動加工

バッチを構築することはやめて、売上データの投入はお客様にて構築していただく提案は可能と判断しました。ここでは、お客様の保有リソース的に、お客様にて売上データ投入が対応可能という前提で話を進めます。

　2.3人月の削減のために、自動加工バッチをやめる提案をすることになりましたが、自動加工バッチの見積工数は、「自動加工バッチ」と「バッチシステムの基本機能」を 合わせて1.4人月です。

　よって、これで合計3.1人月です。目標削減工数4.0人月に対し、残り0.9人月です。なお、システムとして、これ以上の機能削減は難しいと考えられます。

　しかし、自動加工バッチの工数が減れば、後続の各課題工数が少し減ります。また、ここまで3.1人月の工数が減るため、開発期間が減る可能性があります。すると、開発期間が減れば管理工数も減るため、この時点で目標削減工数4.0人月に届く可能性があります。

　そのため、一度、全体の見積工数を算出し直してみることにします。
　次項にて説明していきます。

## 3.5.5 予算内パターンの見積例

　予算内パターンの見積例として、前述した予算内パターンの見積の検討例にて決めた削減案にのっとり、工数見積を算出し直して、スケジューリング、バッファ追加、金額見積、レビューをしていきます。

　まずは、工数見積です。実施しなくなった自動加工バッチ、データ移行、インフラ構築は削除するだけなので説明は割愛しますが、自動加工バッチがなくなったことにより、各課題対応の工数を減らすことができますので、各課題対応の修正した見積工数表を示します。

　UT課題対応の見積工数です。機能構築の工数が減ったため、UTの工数も減っています。

■ UT課題対応の工数削減

| 機能内容 | 設計 | PG | UT設計 | UT実施 | IT設計 | IT実施 |
|---|---|---|---|---|---|---|
| 不具合対応（5機能各2件相当→4機能各2件相当）<br>課題対応（2件相当） | 3.5→3.0 | 6.0→5.0 | 3.0 | 4.5→4.0 | | |
| 小計 | 3.0 | 5.0 | 3.0 | 4.0 | | |
| 合計 | | | | | 17.0→15.0 | |

　IT課題対応見積工数です。工数の根拠がUT課題対応の半分の工数のため、工数が減っています。

■ IT課題対応の工数削減

| 機能内容 | 設計 | PG | UT設計 | UT実施 | 内部IT設計 | 内部IT実施 |
|---|---|---|---|---|---|---|
| 不具合対応（2機能各2件相当）<br>課題対応（2件相当→1件相当） | 1.5 | 3.0→2.5 | 1.5 | 2.5→2.0 | 0.0 | 1.0 |
| 小計 | 1.5 | 2.5 | 1.5 | 2.0 | 0.0 | 1.0 |
| 合計 | | | | | 9.5→8.5 | |

　ST課題対応の見積工数です。工数の根拠がIT課題対応と同等の工数のため、工数が減っています。

■ST課題対応の工数削減

| 機能内容 | 設計 | PG | UT設計 | UT実施 | ST設計 | ST実施 |
|---|---|---|---|---|---|---|
| 不具合対応（2機能各2件相当）<br>課題対応（2件相当→1件相当） | 1.5 | 3.0→2.5 | 1.5 | 2.5→2.0 | 0.0 | 1.0 |
| 小計 | 1.5 | 2.5 | 1.5 | 2.0 | 0.0 | 1.0 |
| 合計 | 9.5→8.5 | | | | | |

　次に、全体の見積工数を整理します。

■全体の見積工数の整理

| 分類 | 設計 | PG | UT設計 | UT実施 | 内部IT設計 | 内部IT実施 | インフラ設計 | インフラ作業 | 外部IT設計 | 外部IT実施 | 移行準備 | 移行作業 | ST設計 | ST実施 | 小計 |
|---|---|---|---|---|---|---|---|---|---|---|---|---|---|---|---|
| 基本機能 | 7.0→4.0 | 7.0→4.0 | - | - | - | - | - | - | - | - | - | - | - | - | 14.0→8.0 |
| 開発工程 | 11.5→7.5 | 19.5→13.5 | 9.5→6.5 | 14.0→9.0 | - | - | - | - | - | - | - | - | - | - | 54.5→36.5 |
| UT課題 | 3.5→3.0 | 6.0→5.0 | 3.0 | 4.5→4.0 | - | - | - | - | - | - | - | - | - | - | 17.0→15.0 |
| 結合以降 | - | - | - | - | 3.0 | 3.0 | 5.0→0 | 15.0→0 | 1.5 | 2.5 | 4.0→0 | 6.0→0 | 1.0 | 3.0 | 44.0→14.0 |
| IT課題 | 1.5 | 3.0→2.5 | 1.5 | 2.5→2.0 | 0.0 | 1.0 | - | - | - | - | - | - | - | - | 9.5→8.5 |
| ST課題 | 1.5 | 3.0→2.5 | 1.5 | 2.5→2.0 | - | - | - | - | - | - | - | - | 0.0 | 1.0 | 9.5→8.5 |
| 小計 | 25.0→17.5 | 38.5→27.5 | 15.5→12.5 | 23.5→17.0 | 3.0 | 4.0 | 5.0→0 | 15.0→0 | 1.5 | 2.5 | 4.0→0 | 6.0→0 | 1.0 | 4.0 | |
| 合計 | 148.5→90.5 | | | | | | | | | | | | | | |

工数見積の結果、90.5人日でした。ここでざっくり人材配置の山積みを考えます。90.5人日ですが、山積みは人月単位ですので、バッファも考慮して100人日と考えます。100人日は5人月です。

まず、お客様の要望をすべて満たすシステムの見積の山積みと見積金額を再掲します。なお、4ヶ月目はリリース後の強化対応工数を含んでいます。

■山積の再掲

| 作業者 | N月 | N月+1 | N月+2 | N月+3 | 対応期間 | 売上（万円） | コスト（万円） | 役割 |
|---|---|---|---|---|---|---|---|---|
| A氏 | ○ | ○ | ○ | ○ | 4ヶ月間 | 480 | 400 | 設計、PG、テスト |
| B氏 | ○ | ○ | ○ | × | 3ヶ月間 | 360 | 300 | 設計、PG、テスト |
| C氏 | × | ○ | × | × | 1ヶ月間 | 120 | 100 | テスト |
| D氏 | × | ○ | △ | △ | 1.2ヶ月間 | 144 | 120 | インフラ |
| E氏 | ○ | ○ | ○ | △ | 3.2ヶ月間 | 384 | 320 | PM・PL |
| 工程 | 設計 | PG | テスト | リリース | 合計 | 1,488 | 1,240 | － |

それでは、予算内パターンの山積みを検討します。

■減額するが予算オーバーの山積み

| 作業者 | N月 | N月+1 | N月+2 | N月+3 | 対応期間 | 売上（万円） | コスト（万円） | 役割 |
|---|---|---|---|---|---|---|---|---|
| A氏 | ○ | ○ | ○ | ○ | 4ヶ月間 | 480 | 400 | 設計、PG、テスト |
| B氏 | ○ | ○ | × | × | 2ヶ月間 | 240 | 200 | 設計、PG、テスト |
| C氏 | × | × | × | × | - | - | - | テスト |
| D氏 | × | × | × | × | - | - | - | インフラ |
| E氏 | ○ | ○ | ○ | △ | 3.2ヶ月間 | 384 | 320 | PM・PL |
| 工程 | 設計 | PG | テスト | リリース | 合計 | 1,104 | 920 | － |

　管理工数を除いた開発工数が5人月です。なお、まずは安全にリリース直後の体制を厚くしたいため、プラス1人月して6人月分を計上し、さらに、管理工数としてPMを配置した案です。

　期間的な安全を考えると、お客様と調整が可能であれば今回の山積みの案がよいのですが、まだ予算オーバーをしているため、もう少し予算内のパターンについて検討していきます。
　なお、通常の見積時には、お客様の予算や山積みをあまり意識せず、まずは安全を第一に、一番よいと思える見積や山積みを検討するようにしてください。

　予算を考慮した見積は、本来あるべき見積を作ったあとに、別途作るようにしてください。

　それでは改めて、予算内パターンの山積みの案を考えます。

　本来、4ヶ月間で開発をするほうが、期間が長くなり安全なのですが、期間が減れば、管理工数を削ることができるため3ヶ月間で開発する案を考えます。開発が完了し、余裕がないなかでリリースすることになるため、お客様も開発会社もヒヤヒヤするスケジュールです。

　実践では、できるかぎり期間に余裕があるスケジュールで検討するほうがよいですが、ここでは、どうしても受注したいため、リスクを取る選択をします。
　予算内パターンの見積としては、次の山積みの案にしてみました。少々の予算オーバーは後で調整します。管理コストを除いて5人月の開発を3ヶ月間各月3名で山積みしてみます。5人月の開発のため最

後の月は2名体制にすることも可能ですが、期間が短いなかでギリギリのリソース状況の場合、想定外の事態に対応できないため余裕をもたせています。

■予算内の山積み（ひとまず）

| 作業者 | N月 | N月 +1 | N月 +2 | N月 +3 | 対応期間 | 売上 （万円） | コスト （万円） | 役割 |
|---|---|---|---|---|---|---|---|---|
| A氏 | ○ | ○ | ○ | - | 3ヶ月間 | 360 | 300 | 設計、PG、テスト |
| B氏 | ○ | ○ | ○ | - | 3ヶ月間 | 360 | 300 | 設計、PG、テスト |
| C氏 | × | × | × | - | - | - | - | テスト |
| D氏 | × | × | × | - | - | - | - | インフラ |
| E氏 | ○ | ○ | ○ | - | 3ヶ月間 | 360 | 300 | PM・PL |
| 工程 | 設計 PG | テスト | テスト リリース | - | 合計 | 1,080 | 900 | - |

なお、あくまで山積みのイメージであって、金額も決定ではありません。次項にて、これまで通りスケジューリングやバッファ追加をしてみないと見積金額は決定できません。予算は1000万円のため、80万円オーバーしていますが、80万円は値引きで対応にすることにします。

　それでは、簡易的な内部用のスケジューリングをします。
　最終月の中旬にはリリースをしてしまうイメージです。そのため、最終月には別途保守契約も必要になります。

■予算内の簡易スケジュール

| 作業工程5 | N月 | N月+1 | N月+2 | 見積工数 | 各工程上限工数 | 小計 | 設定工数チェック |
|---|---|---|---|---|---|---|---|
| 基本機能／設計 | 4.0 | | | 4.0 | 40.0 | 4.0 | OK |
| 基本機能／PG | 4.0 | | | 4.0 | 40.0 | 4.0 | OK |
| 設計 | 7.5 | | | 7.5 | 40.0 | 7.5 | OK |
| PG | 13.5 | | | 13.5 | 40.0 | 13.5 | OK |
| UT設計 | 6.5 | | | 6.5 | 40.0 | 6.5 | OK |
| UT実施 | | 9.0 | | 9.0 | 40.0 | 9.0 | OK |
| UT課題／設計・PG | | 8.0 | | 8.0 | 40.0 | 8.0 | OK |
| UT課題／テスト | | 7.0 | | 7.0 | 40.0 | 7.0 | OK |
| 内部IT設計 | | 3.0 | | 3.0 | 40.0 | 3.0 | OK |
| 内部IT実施 | | 3.0 | | 3.0 | 40.0 | 3.0 | OK |
| インフラ設計 | | | | - | - | - | - |
| インフラ作業 | | | | - | - | - | - |
| 外部IT設計 | | 1.5 | | 1.5 | 40.0 | 1.5 | OK |
| 外部IT実施 | | 2.5 | | 2.5 | 40.0 | 2.5 | OK |
| IT課題／設計・PG | | 4.0 | | 4.0 | 40.0 | 4.0 | OK |
| IT課題／テスト | | | 4.5 | 4.5 | 40.0 | 4.5 | OK |
| 移行準備 | | | | - | - | - | - |
| 移行作業 | | | | - | - | - | - |
| ST設計 | | | 1.0 | 1.0 | 40.0 | 1.0 | OK |
| ST実施 | | | 3.0 | 3.0 | 40.0 | 3.0 | OK |
| ST課題／設計・PG | | | 4.0 | 4.0 | 40.0 | 4.0 | OK |
| ST課題／テスト | | | 4.5 | 4.5 | 40.0 | 4.5 | OK |
| リソース上限工数 | 40.0 | 40.0 | 40.0 | | | | |
| 小計 | 35.5→OK | 38.0→OK | 17.0→OK | | | | |
| 設定工数チェック | -4.5 | -2.0 | -23.0 | | | | |
| 合計 | | | | | | | 90.5 |

　次に、マスタースケジュールを作成します。

　さて、いかがでしょうか。システム開発工程において、予算内に収めるためのプランです。だんだんと無理をしてきていることがわかると思います。

■ マスタースケジュール（無理をしている）

| タスク | | N月 | N月＋1 | N月＋2 | N月＋3 |
|---|---|---|---|---|---|
| 開発 | | ████ | ████▶ | | |
| | 設計 | ██▶ | | | |
| | PG | ███▶ | | | |
| | UT設計 | ▶ | | | |
| | UT実施 | | ██▶ | | |
| | 内部結合テスト | | ██▶ | | |
| POSデータ連携開発（お客様） | | ████▶ | | | |
| インフラ構築（お客様） | | ████ | ███▶ | | |
| 外部結合テスト | | | | █▶ | |
| 移行（お客様） | | | | ███▶ | |
| 総合テスト | | | | ██▶ | |
| 受入テスト（お客様） | | | | █▶ | |
| 研修（お客様） | | | | ███▶ | |
| リリース | | | | ▮ | |
| 運用 | | | | | █████▶ |

　予算内に収めようとすると、基本的に期間が短くなるため、計画の難易度が高くなります。特に、POSデータ連携やインフラ構築や移行の結合が、スムーズに進むかが心配になります。

　また、仮にお客様起因などでスケジュールが延びた場合、システム開発会社の利益は減ってしまいます。場合によっては赤字になってしまいます。

　さらに、お客様に協力していただく内容として、研修は総合テストと同じタイミングで実施してもらう必要がありますし、受入テストやリリース日の日程も含め、お客様の期限もシビアに守ってもらう必要がでてきます。

　マスタースケジュールを組んでみたところ、予定していた山積み通

りとなったため見積金額としては、予定通り以下となります。

　見積金額は1,080万円となり、80万円予算オーバーですが、値引き
をすることで、予算内に収めることができると思います。

■山積み　80万円オーバー（再掲）

| 作業者 | N月 | N月+1 | N月+2 | N月+3 | 対応期間 | 売上（万円） | コスト（万円） | 役割 |
|---|---|---|---|---|---|---|---|---|
| A氏 | ○ | ○ | ○ | - | 3ヶ月間 | 360 | 300 | 設計、PG、テスト |
| B氏 | ○ | ○ | ○ | - | 3ヶ月間 | 360 | 300 | 設計、PG、テスト |
| C氏 | × | × | × | - | - | - | - | テスト |
| D氏 | × | × | × | - | - | - | - | インフラ |
| E氏 | ○ | ○ | ○ | - | 3ヶ月間 | 360 | 300 | PM・PL |
| 工程 | 設計PG | テスト | テストリリース | - | 合計 | 1,080 | 900 | ― |

　以下が値引きをした結果の山積みです。利益額は100万円で利益率
は10%となります。利益率は低いですが現実的には調達コストを調
整すれば、もう少し利益率は上げられると考えられます。

■山積み　80万円値引き

| 作業者 | N月 | N月+1 | N月+2 | N月+3 | 対応期間 | 売上（万円） | コスト（万円） | 役割 |
|---|---|---|---|---|---|---|---|---|
| A氏 | ○ | ○ | ○ | - | 3ヶ月間 | 360 | 300 | 設計、PG、テスト |
| B氏 | ○ | ○ | ○ | - | 3ヶ月間 | 360 | 300 | 設計、PG、テスト |
| C氏 | × | × | × | - | - | - | - | テスト |
| D氏 | × | × | × | - | - | - | - | インフラ |
| E氏 | ○ | ○ | ○ | - | 3ヶ月間 | 360 | 300 | PM・PL |
| 工程 | 設計PG | テスト | テストリリース | - | 合計 | 1,080→1,000 | 900 | ― |

最後に、レビュー工程を実施します。

レビューを実施した結果、システム開発会社自体の作業や計画は問題ないが、見積条件でリスクヘッジが必要となりました。

リスクの内容は、中間パターンにしても予算内パターンにしても、本来1社で実施するべき作業を、他社と作業を分担して開発をしていくため、作業工数は減っても、他社の作業についてはコントロールが難しいため、スケジュールが遅延するリスクが高まります。

スケジュールが遅延すると、体制の維持する期間が長くなる可能性があるため、コストが増える可能性があります。その場合、売上金額は変わらないため、利益が減ったり赤字になったりします。

そのため、他社起因によりスケジュールが遅延した場合、他社を待つことはせず、自社だけで実施できる作業を実施したら、納品と検収が可能とする契約条件が必要と考えられます。

ここまで、お客様の予算に合わない場合の対応例を示しましたが、予算に合わせる行為はどうしても無理な提案内容になりますし、開発難易度も高くなります。予算に合わせる行為のうち、絶対にやってはいけない行為は、作業量を減らさずに見積工数を圧縮する行為です。計画性がない計画になるため、一番コントロールが難しく難易度が高い開発方法です。

また、**簡単に値引きや調達コストを低くすることはよくありません。**誰にとっても意義の薄いビジネスをすることになります。まずは予算に応じた内容の提案をすることが大切です。

# 正しい見積をすることが
# 難しい現場

　現実では正しい見積ができない現場はあります。具体的には以下のようなケースです。

- ・要件定義（基本設計）前に開発を含め契約が必要なため、詳細な見積ができない状況
- ・先にスケジュールが決まっているため、安全な計画が立てられない状況
- ・お客様に対し正しい意見を伝えられない状況
- ・チーム内のコントロールができていない状況

　すでに不利な条件でプロジェクトが進んでいる場合などは、すぐには正しい見積や契約変更をすることは非常に難しいです。

　そのようななかでも、時間はかかりますが十分に説明の準備をして、お客様やキーマンにしっかり説明をすれば改善してくれることがあります。

　また、1つひとつの仕事を丁寧に実施して少しずつ信頼を得ていけば、少しずつ話を聞いてくれるようになると考えています。改善経験の例としましては、まず、可能なかぎり常にお客様に満足していただけるようなアウトプットを出したり、高品質のシステムをリリースをしたりことで、お客様と交渉がしやすい良好な関係を築きます。そのうえで、新しい契約時や契約更新時などに、計画やリスクについて十分に説明をすることで、適切な見積とスケジュール、契約内容に改善できました。

　1つひとつの丁寧な仕事や十分な説明による良好な関係の構築が大切になります。

# 第3章
## 6 テンプレートシステムを利用した開発の見積例

### 3.6.1 テンプレートシステムを使った開発方法

　テンプレートシステムとは、システム開発をする際に、よく使う機能をあらかじめテンプレートとして用意しておいたシステムです。

　システム開発をする度に、同じようなプログラムを毎回新規で作成することは非効率なことですし、難易度が高いことです。

　それに対し、テンプレートシステムを使った開発方法は、テンプレートシステムをベースに、機能を追加、削除、修正という形で、プログラミング作業を進めることになります。

　仕様がテンプレートシステムと一致した場合は、ほとんど修正だけで構築できてしまいます。その場合、開発工数を大きく減らすことができます。さらに、基本的に修正という形でプログラミングができるため、プログラマーの調達の難易度が下がるメリットもあります。

　そのほか、テンプレートシステムを利用するメリットとしては、テンプレートシステムを利用してさまざまなシステム開発を実施していくと、テンプレートシステムにさまざまな改善を施したり、機能を追加していったりすることができます。そして、テンプレートシステムはどんどん保守性や拡張性を考慮した構成になっていきます。そのため、お客様に要件定義時や追加開発をする際に、さまざまな機能の提案をすることができるようになります。

　また、テンプレートシステムを利用してさまざまなシステム開発をしていくと保守が楽になります。テンプレートシステムを使ったシステムは、どのシステムのプログラムを見ても、同じプログラム構成

だったり同じディレクトリ構成だったりするためです。

　さて、テンプレートシステムを使う場合は、あらかじめプログラマーにテンプレートシステムのメリットや、テンプレートシステムの構成を維持して開発することを説明しておきましょう。
　テンプレートシステムはさまざまな部品を用意してあったり、保守性や拡張性を考慮した構成にしてあったりすることが多いですが、その際に、テンプレートシステムの既存構成を変更してしまうと、保守性や拡張性が悪くなってしまうため注意が必要です。

　なお、保守費が存分にありシステムごとに優秀なプログラマーを確保できれば、テンプレートシステムを利用せず、システムごとに最適なプログラムを用意してもよいですが、現実的には、少ない保守費のなかで、1名がほかの作業をしながら保守をしたり、1名が複数のシステムを保守したりします。

　保守作業を属人化せず低難易度で実施していくためには、可能なかぎり、テンプレートシステムを利用して開発することを推奨します。

**3.6.2 テンプレートシステムのシステム概要**

テンプレートシステムのシステム概要としては以下とします。

■ テンプレートシステムのシステム概要

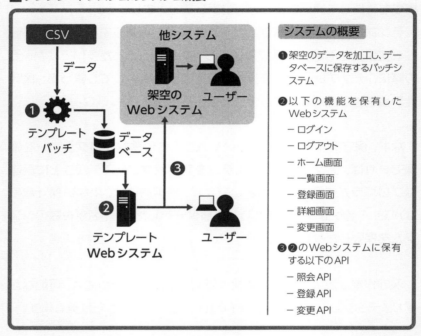

システム開発で作るものは、おおむね以下の形式のシステムになります。よって、テンプレートシステムでも、以下の形式のシステムは用意しておきます。

● 画面
● Web API
● バッチ

　また、テンプレートシステムは、テンプレートシステム単体で一般的なシステムとして問題がないレベルの品質にしておきます。また、セキュリティ対策やロギング機能などの一般的な非機能対応が実装されている状況にしておきます。もちろん、設計書なども完備しておきます。

　さらに、システムにおいて、よく使う画面や機能や部品は一通り構築しておきます。

　たとえば、バッチシステムであれば、CSVを使った処理や、DB参照やDB更新処理です。Web画面システムであれば、ログイン機能ログアウト機能をはじめ、登録から参照までのCRUD分の画面の用意、CSVダウンロード機能、CSVアップロード機能、一通りの入力形式の用意などです。

　ここまで記載すると気づくと思いますが、第2章の「見積の手順」の説明に利用した「売上閲覧Webシステム」のほとんどの機能は、テンプレートシステムに保有しています。

　テンプレートシステムを利用して、第2章の開発をした場合、対応内容としては、バッチシステムの修正と、Web画面システムにおける全体的なデザイン的な調整、CRUD機能を業務に合わせて修正という形になります。基本機能の開発が不要になるので無理のない工数削減が見込めます。

　また、テンプレートシステムを参考にしてPG工程を実施する大きなメリットとしては、1から新規開発する場合に比べ、技術調査の難航などによるタイムロスをするリスクが減る点にあります。理由は開発に必要な基本機能がすでにできているためです。このメリットによりシステム開発の計画性の実現性がさらに高まります。

　それでは、第2章の「見積の手順」の説明に利用した「売上閲覧Webシステム」について、テンプレートシステムを利用した場合の見積を次項にて説明します。

**3.6.3 開発全体の見積例**

以降に、テンプレートシステムを使った見積例を示します。

「自動加工バッチ」の工数見積は、変更なし

■テンプレートシステムを使った見積例（自動加工バッチ）

| 機能内容 | 設計 | PG | UT設計 | UT実施 | IT設計 | IT実施 |
|---|---|---|---|---|---|---|
| POSの売上データから、月別店舗別の売上を導出しデータベースに保存する<br>・トランザクションテーブル作成（設計・作業）<br>・関連マスターテーブル作成（設計・作業）<br>・ファイル読み込み処理<br>・バリデーション処理<br>・売上サマリデータ投入処理<br>・エラー処理 | 2.0 | 4.0 | 3.0 | 5.0 | 1.5 | 2.5 |
| POSは当該システムの所定のディレクトリにファイルを配置する<br>・ファイル移動などのファイル管理処理<br>・ファイル有無チェック、無の場合の処理 | 0.5 | 0.5 | | | | |
| 15分ごとに、当該バッチを起動する<br>・多重起動チェック、エラー時の処理<br>・複数ファイル対応処理 | 0.5 | 0.5 | | | | |
| 過去データの移行にも利用可能とする（作業は別途計上）<br>・過去データも問題なく投入できるように考慮 | 0.5 | 0.5 | | | | |
| エラー発生時のリカバリにも利用可能とする<br>・エラー発生時の起動チェック、エラー時の処理 | 0.5 | 0.5 | | | | |
| 小計 | 4.0 | 6.0 | 3.0 | 5.0 | 1.5 | 2.5 |
| 合計 | | | | | | **22.0** |

「バッチシステムの基本機能」の工数見積は、不要となる

テンプレートシステムを利用すると、基本機能の構築が不要になります。なお、テンプレートシステムを利用しても、ログイン機能など

のように微修正となる機能であれば工数の削減が見込めますが、業務機能の新規開発における工数はそれほど変わりません。

「売上閲覧Webアプリケーション － ログイン画面」の工数見積

■テンプレートシステムを使った見積例 (ログイン)

| 機能内容 | 設計 | PG | UT設計 | UT実施 | IT設計 | IT実施 |
|---|---|---|---|---|---|---|
| ユーザー関連のテーブル修正 | 0.5 | 0.5 | 1.5 | 2.0 | | |
| ~~当該画面の基本プログラムファイルの準備 (疎通まで含む)~~ | ~~0.0~~ | ~~0.5~~ | | | | |
| 画面作成<br>・画面イメージに沿って構築 | 0.5 | 0.5 | | | | |
| ログイン処理<br>　・項目定義のバリデーションチェック処理を行う<br>　・ログインIDの存在チェックを行う<br>　・パスワードの一致チェックを行う (平文ではなくハッシュ化した文字列での比較)<br>　・セッションを再生成する<br>　・セッションにログイン情報を登録する<br>　・上記処理完了後、ホーム画面に遷移する<br>CSRF対応<br>　・セッショントークンの生成とリクエストトークンとセッショントークンの比較チェックをする | 1.0 | 3.5→1.0 | | | | |
| 小計 | 2.0 | 2.0 | 1.5 | 2.0 | | |
| 合計 | | | | | | 10.5→7.5 |

　テンプレートシステムを使いますが、想定している処理が実装できているか確認をするため、設計工程やPG工程はなくなりません。また、テスト工数はテンプレートシステムを使っていても使っていなくても変わりません。

## 「売上閲覧Webアプリケーション - ログアウト画面」の工数見積

■テンプレートシステムを使った見積例 (ログアウト)

| 機能内容 | 設計 | PG | UT設計 | UT実施 | IT設計 | IT実施 |
|---|---|---|---|---|---|---|
| ~~当該画面の基本プログラムファイルの準備 (疎通まで含む)~~ | ~~0.0~~ | ~~0.5~~ | 1.0 | 1.0 | | |
| 画面作成<br>・画面イメージに沿って構築 | 0.5 | 0.5 | | | | |
| ログアウト処理<br> ・セッションを初期化する<br> ・上記処理完了後、ログアウト画面に遷移する<br>CSRF対応<br> ・セッショントークンの生成とリクエストトークンとセッショントークンの比較チェックをする | 0.5 | 0.5 | | | | |
| 小計 | 1.0 | 1.0 | 1.0 | 1.0 | | |
| 合計 | | | | | 4.5→4.0 | |

## 「売上閲覧Webアプリケーション - ホーム画面」の工数見積

■テンプレートシステムを使った見積例 (ホーム画面)

| 機能内容 | 設計 | PG | UT設計 | UT実施 | IT設計 | IT実施 |
|---|---|---|---|---|---|---|
| ~~当該画面の基本プログラムファイルの準備 (疎通まで含む)~~ | ~~0.0~~ | ~~0.5~~ | 1.5 | 2.0 | | |
| ヘッダー作成 (共通部品化)<br> ・「システム名」をクリックすると、ホーム画面に遷移する<br> ・「売上閲覧」をクリックすると、売上閲覧画面に遷移する<br> ・「ログアウト」をクリックすると、ログアウトし、ログアウト画面に遷移にする | 0.5 | 0.5 | | | | |
| 画面作成<br> ・画面イメージに沿って構築<br> ・初期表示処理で、画面にユーザー名を表示する | 0.5 | 0.5 | | | | |
| 未ログインの遷移の場合、ログイン画面に遷移 (共通部品化) | 0.5 | 0.5 | | | | |
| 小計 | 1.5 | 1.5 | 1.5 | 2.0 | | |
| 合計 | | | | | 7.0→6.5 | |

「売上閲覧Webアプリケーション － 売上閲覧画面」の工数見積

■テンプレートシステムを使った見積例（売上閲覧画面）

| 機能内容 | 設計 | PG | UT設計 | UT実施 | IT設計 | IT実施 |
|---|---|---|---|---|---|---|
| 当該画面の基本プログラムファイルの準備（疎通まで含む） | 0.0 | 0.5 | 2.5 | 4.0 | | |
| 画面作成<br>・画面イメージに沿って構築<br>・検索条件の店舗名に店舗マスターから店舗リストをセットしておく<br>・検索条件の期に期マスターから期リストをセットしておく<br>・検索条件の店舗名にユーザーが所属する店舗をデフォルト表示しておく<br>・検索条件の期に当期をデフォルト表示しておく<br>・デフォルトの検索条件で検索結果を表示しておく | 2.0 | 3.5 | | | | |
| 検索条件を基に、売上データから各月の売上金額を取得し表示する | 1.0 | 1.0 | | | | |
| ヘッダー作成（共通部品利用） | 0.0 | 0.0 | | | | |
| 未ログインの遷移の場合、ログイン画面に遷移（共通部品利用） | 0.0 | 0.0 | | | | |
| 小計 | 3.0 | 5.0 | 2.5 | 4.0 | | |
| 合計 | | | | | | 14.5 |

「Webシステムの基本機能」の工数見積は、不要となる

「単体テストまでの課題対応」の工数見積

■単体テストまでの課題対応

| 作業内容 | 設計 | PG | UT設計 | UT実施 |
|---|---|---|---|---|
| 不具合対応（5機能各2件相当）<br>課題対応（2件相当） | 3.5 | 6.0<br>→5.0 | 3.0 | 4.5 |
| 小計 | 3.5 | 5.0 | 3.0 | 4.5 |
| 合計 | | | | 17.0→16.0 |

開発工程におけるPG工程の工数が減っているため微調整をしています。

「内部結合テスト」の工数見積は、変更なし

**■内部結合テストの見積**

| 作業内容 | 内部IT設計 | 内部IT実施 |
|---|---|---|
| シナリオテスト実施<br>・シナリオ例：POS → バッチ → ログイン → ホーム<br> → 売上閲覧 → ログアウト<br>・確認バリエーションの要素：ユーザー、店舗、売上<br> 時期（移行、過去期、当期、未来）など | 3.0 | 3.0 |
| 小計 | 3.0 | 3.0 |
| 合計 | | 6.0 |

「結合テストまでの課題対応」の工数見積、変更なし

**■結合テストまでの課題対応の見積**

| 作業内容 | 設計 | PG | UT設計 | UT実施 | 内部IT設計 | 内部IT実施 |
|---|---|---|---|---|---|---|
| 内部結合テストと、POSとの結合テストにより発生する以下対応 不具合対応（バッチとメイン画面の2機能各2件相当）課題対応（2件相当） | 1.5 | 3.0 | 1.5 | 2.5 | 0.0 | 1.0 |
| 小計 | 1.5 | 3.0 | 1.5 | 2.5 | 0.0 | 1.0 |
| 合計 | | | | | | 9.5 |

「移行」の工数見積、変更なし

■ 移行の見積

| 作業内容 | 移行準備 | 移行作業 |
|---|---|---|
| POSデータの登録<br>・移行方針の検討と調整（自動加工バッチを利用する想定）<br>・各環境に登録（検証環境、本番環境、ローカル環境）<br>・事前に過去データを登録<br>・リリース時に直近分の過去データを差分登録<br>・データ量が多く作業に時間がかかる想定 | 2.5 | 3.0 |
| 店舗データの登録<br>・SQL化<br>・各環境に登録（検証環境、本番環境、ローカル環境） | 0.5 | 1.0 |
| 期データの登録<br>・SQL化<br>・各環境に登録（検証環境、本番環境、ローカル環境） | 0.5 | 1.0 |
| ユーザーデータの登録<br>・SQL化<br>・各環境に登録（検証環境、本番環境、ローカル環境）<br>・ユーザーマスタ登録<br>・グループマスタ登録 | 0.5 | 1.0 |
| 小計 | 4.0 | 6.0 |
| 合計 | | 10.0 |

「インフラ構築」の工数見積、変更なし

■インフラ構築の見積

| 作業内容 | インフラ設計 | インフラ作業 |
|---|---|---|
| ・検証環境構築（クラウドサービス利用）<br>・本番環境構築（クラウドサービス利用）<br>・構築内容<br>　・Webサーバー構築<br>　・バッチサーバー構築<br>　・DB構築<br>　・Docker構築 | 5.0 | 10.0 |
| ・資料作成<br>　・基本操作のマニュアル<br>　・設定情報定義書<br>　・接続情報定義書 | | 5.0 |
| 小計 | 5.0 | 15.0 |
| 合計 | | 20.0 |

「総合テスト」の工数見積、変更なし

■総合テストの見積

| 作業内容 | ST設計 | ST実施 | 作業 |
|---|---|---|---|
| シナリオテスト実施<br>・シナリオ例：POS → バッチ → ログイン → ホーム → 売上閲覧 → ログアウト<br>・確認バリエーションの要素：ユーザー、店舗、売上時期（移行、過去期、当期、未来）など<br>・設計書は内部結合テストで利用したものを流用する | 1.0 | 3.0 | |
| 小計 | 1.0 | 3.0 | |
| 合計 | | | 4.0 |

「総合テストまでの課題対応」の工数見積、変更なし

■ 総合テストまでの課題対応見積

| 作業内容 | 設計 | PG | UT 設計 | UT 実施 | ST 設計 | ST 実施 |
|---|---|---|---|---|---|---|
| 総合テストにより発生する以下対応<br>不具合対応（2機能各2件相当）<br>課題対応（2件相当） | 1.5 | 3.0 | 1.5 | 2.5 | 0.0 | 1.0 |
| 小計 | 1.5 | 3.0 | 1.5 | 2.5 | 0.0 | 1.0 |
| 合計 | | | | | | 9.5 |

開発全体の見積を整理すると以下のようになります。

■ テンプレートシステム利用後の全体見積

| 分類 | 設計 | PG | UT設計 | UT実施 | 内部IT設計 | 内部IT実施 | インフラ設計 | インフラ作業 | 外部IT設計 | 外部IT実施 | 移行準備 | 移行作業 | ST設計 | ST実施 | 小計 |
|---|---|---|---|---|---|---|---|---|---|---|---|---|---|---|---|
| 基本機能 | ~~7.0~~ | ~~7.0~~ | - | - | - | - | - | - | - | - | - | - | - | - | 14.0→0 |
| 開発工程 | 11.5 | 19.5→15.5 | 9.5 | 14.0 | - | - | - | - | - | - | - | - | - | - | 54.5→50.5 |
| UT課題 | 3.5 | 6.0→5.0 | 3.0 | 4.5 | - | - | - | - | - | - | - | - | - | - | 17.0→16.0 |
| 結合以降 | - | - | - | - | 3.0 | 3.0 | 5.0 | 15.0 | 1.5 | 2.5 | 4.0 | 6.0 | 1.0 | 3.0 | 44.0 |
| IT課題 | 1.5 | 3.0 | 1.5 | 2.5 | 0.0 | 1.0 | - | - | - | - | - | - | - | - | 9.5 |
| ST課題 | 1.5 | 3.0 | 1.5 | 2.5 | - | - | - | - | - | - | - | - | 0.0 | 1.0 | 9.5 |
| 小計 | 25.0→18.0 | 38.5→26.5 | 15.5 | 23.5 | 3.0 | 4.0 | 5.0 | 15.0 | 1.5 | 2.5 | 4.0 | 6.0 | 1.0 | 4.0 | - |
| 合計 | | | | | | | | | | | | | | | 148.5→129.5 |

　テンプレートシステムを利用しなかった場合の総工数が148.5人日に対し、テンプレートシステムを利用した場合の総工数が129.5人日となり、19人日分、削減されています。おもに、基本機能の開発作業がなくなっているため、14人日減っています。また、開発工程ではおもにログイン機能のプログラミング工数や各機能の疎通のためのプログラミング工数が減っています。

　ログイン機能においては、セキュリティやセッション管理周りの構

築が減る点は、リスクヘッジの効果として非常に大きいです。

　また、ホーム画面、一覧画面、登録画面など一通りのCRUD機能が
構築されているため、1から実装方法を検討する必要がない点もリス
クヘッジの効果は大きいです。
　具体的には、初めから用意してあるサンプル画面をそのまま修正と
いう形で開発したり、サンプル画面をコピーして修正という形で開発
したりすることができます。よって、開発の難易度が下がり、スムー
ズに開発を進められるメリットもあります。

　**テンプレートシステムを利用した開発は、工数の削減の効果以上
に、1からシステムを構築しないことにより、スムーズに計画を進める
ことや保守性や拡張性を考慮したプログラミングになりやすいという
メリットがあります。**
　**システム開発においては、できるかぎり難易度が低いやり方を選択
することを推奨します。**

# 3.6.5 スケジューリング

簡易的な内部用のスケジュールは以下のようになります。テンプレートシステムを利用した場合、約1人月削減できたため、2ヶ月目のリソース上限工数を80人日から60人日に減らしています。

■ テンプレートシステム利用後の簡易スケジュール

| 作業工程 | N月 | N月+1 | N月+2 | 見積工数 | 各工程上限工数 | 小計 | 設定工数チェック |
|---|---|---|---|---|---|---|---|
| 基本機能/設計 | 0.0 | | | 0.0 | 40.0 | 0.0 | OK |
| 基本機能/PG | 0.0 | | | 0.0 | 40.0 | 0.0 | OK |
| 設計 | 11.5 | | | 11.5 | 40.0 | 11.5 | OK |
| PG | 15.5 | | | 15.5 | 40.0 | 15.5 | OK |
| UT設計 | 9.5 | | | 9.5 | 60.0 | 9.5 | OK |
| UT実施 | | 14.0 | | 14.0 | 60.0 | 14.0 | OK |
| UT課題/設計・PG | | 8.5 | | 8.5 | 40.0 | 8.5 | OK |
| UT課題/テスト | | 7.5 | | 7.5 | 60.0 | 7.5 | OK |
| 内部IT設計 | | 3.0 | | 3.0 | 40.0 | 3.0 | OK |
| 内部IT実施 | | 3.0 | | 3.0 | 60.0 | 3.0 | OK |
| インフラ設計 | | 5.0 | | 5.0 | 20.0 | 5.0 | OK |
| インフラ作業 | | 15.0 | | 15.0 | 20.0 | 15.0 | OK |
| 外部IT設計 | | 1.5 | | 1.5 | 40.0 | 1.5 | OK |
| 外部IT実施 | | | 2.5 | 2.5 | 60.0 | 2.5 | OK |
| IT課題/設計・PG | | | 4.5 | 4.5 | 40.0 | 4.5 | OK |
| IT課題/テスト | | | 5.0 | 5.0 | 60.0 | 5.0 | OK |
| 移行準備 | | | 4.0 | 4.0 | 40.0 | 4.0 | OK |
| 移行作業 | | | 6.0 | 6.0 | 60.0 | 6.0 | OK |
| ST設計 | | | 1.0 | 1.0 | 40.0 | 1.0 | OK |
| ST実施 | | | 3.0 | 3.0 | 60.0 | 3.0 | OK |
| ST課題/設計・PG | | | 4.5 | 4.5 | 40.0 | 4.5 | OK |
| ST課題/テスト | | | 5.0 | 5.0 | 60.0 | 5.0 | OK |
| リソース上限工数 | 40.0 | 60.0 | 40.0 | | | | |
| 小計 | 36.5→OK | 57.5→OK | 35.5→OK | | | | |
| 設定工数チェック | -3.5 | -2.5 | -4.5 | | | | |
| 合計 | | | | | | | 129.5 |

参考までに、第2章で説明したテンプレートを使わないで開発した場合の簡易的な内部スケジュールをテンプレート利用時との比較のために再掲します。

■ テンプレートシステムを利用しない場合の簡易スケジュール

| 作業工程 | N月 | N月+1 | N月+2 | 見積工数 | 各工程上限工数 | 小計 | 設定工数チェック |
|---|---|---|---|---|---|---|---|
| 基本機能/設計 | 7.0 | | | 7.0 | 40.0 | 7.0 | OK |
| 基本機能/PG | 7.0 | | | 7.0 | 40.0 | 7.0 | OK |
| 設計 | 11.5 | | | 11.5 | 40.0 | 11.5 | OK |
| PG | 12.5 | 7.0 | | 19.5 | 40.0 | 19.5 | OK |
| UT設計 | | 9.5 | | 9.5 | 60.0 | 9.5 | OK |
| UT実施 | | 14.0 | | 14.0 | 60.0 | 14.0 | OK |
| UT課題/設計・PG | | 9.5 | | 9.5 | 40.0 | 9.5 | OK |
| UT課題/テスト | | 7.5 | | 7.5 | 60.0 | 7.5 | OK |
| 内部IT設計 | | 3.0 | | 3.0 | 40.0 | 9.5 | OK |
| 内部IT実施 | | 3.0 | | 3.0 | 60.0 | 3.0 | OK |
| インフラ設計 | | 5.0 | | 5.0 | 20.0 | 3.0 | OK |
| インフラ作業 | | 15.0 | | 15.0 | 20.0 | 15.0 | OK |
| 外部IT設計 | | 1.5 | | 1.5 | 40.0 | 1.5 | OK |
| 外部IT実施 | | | 2.5 | 2.5 | 60.0 | 2.5 | OK |
| IT課題/設計・PG | | | 4.5 | 4.5 | 40.0 | 4.5 | OK |
| IT課題/テスト | | | 5.0 | 5.0 | 60.0 | 5.0 | OK |
| 移行準備 | | 4.0 | | 4.0 | 40.0 | 4.0 | OK |
| 移行作業 | | | 6.0 | 6.0 | 60.0 | 6.0 | OK |
| ST設計 | | | 1.0 | 1.0 | 40.0 | 1.0 | OK |
| ST実施 | | | 3.0 | 3.0 | 60.0 | 3.0 | OK |
| ST課題/設計・PG | | | 4.5 | 4.5 | 40.0 | 4.5 | OK |
| ST課題/テスト | | | 5.0 | 5.0 | 60.0 | 5.0 | OK |
| リソース上限工数 | 40.0 | 80.0 | 40.0 | | | | |
| 小計 | 38.0→OK | 79.0→OK | 31.5→OK | | | | |
| 設定工数チェック | −2.0 | −1.0 | −8.5 | | | | |
| 合計 | | | | | | | 148.5 |

**3.6.6 マスタースケジュール**

　バッファ追加後のマスタースケジュールは以下のようになります。マスタースケジュールとしては、1人月だけの作業削減であり、あわせて人員配置としても1人分減らしていますが、クリティカルパスに影響がなかったため、テンプレートシステムを利用しない場合の開発と大きくは変わっていません。

■ テンプレートシステム利用後のマスタースケジュール

| タスク | | N月 | N月+1 | N月+2 | N月+3 |
|---|---|---|---|---|---|
| 開発 | | ███████████████▶ | | | |
| | 設計 | ██▶ | | | |
| | PG | ██▶ | | | |
| | UT設計 | ██▶ | | | |
| | UT実施 | | ██▶ | | |
| | 内部結合テスト | | ██▶ | | |
| インフラ構築 | | | ██████▶ | | |
| 外部結合テスト | | | | ██▶ | |
| 移行 | | | | ████▶ | |
| 総合テスト | | | | ██▶ | |
| 受入テスト（お客様） | | | | | ▶ |
| 研修（お客様） | | | | ██▶ | |
| リリース | | | | | ▌ |
| 運用 | | | | | ████▶ |

**3.6.7 見積金額**

　マスタースケジュールを加味して、山積みをした結果は以下のようになりました。

■テンプレートシステム利用後の金額

| 作業者 | N月 | N月+1 | N月+2 | N月+3 | 対応期間 | 売上（万円） | コスト（万円） | 役割 |
|---|---|---|---|---|---|---|---|---|
| A氏 | ○ | ○ | ○ | ○ | 4ヶ月間 | 480 | 400 | 設計、PG、テスト |
| B氏 | ○ | ○ | ○ | × | 3ヶ月間 | 360 | 300 | 設計、PG、テスト |
| C氏 | × | × | × | × | 0ヶ月間 | 0 | 0 | テスト |
| D氏 | × | ○ | △ | △ | 1.2ヶ月間 | 144 | 120 | インフラ |
| E氏 | ○ | ○ | ○ | △ | 3.2ヶ月間 | 384 | 320 | PM・PL |
| 工程 | 開発 | 開発 | 開発 | 開発 | 合計 | 1,368 | 1,140 | － |

　システム開発費としては1,368万円、コストは1,140万円、利益は228万円で、利益率は約17%となりました。

　参考として、テンプレートシステムを利用していない場合のシステム開発費は1,488万円、コストは1,240万円、利益は248万円で、利益率は約17%でした。

　システム開発費としては、120万円安くすることができました。

　なお、何度もお伝えしていますが、テンプレートシステムを利用するメリットは、見積工数が減ることにより、お客様に対しより安い金額でシステム開発を提案できることだけではなく、システム開発の難易度を下げ、システム開発の計画性の精度を高める点もあります。

　ぜひ、テンプレートシステムの利用はご検討いただきたいと願っております。

# 第3章
## 7 開発中に要件が変わった場合

### ⚙ 3.7.1 やることが変わったら再見積

開発中に要件が変わることはよくあると思います。断ったり追加請求したりすることがベターかもしれませんが、現実的にはある程度の要望は対応すると思います。

ただし、**要件変更の要望があった場合は、お客様と合意をする前に、まずは一度、再見積をしてください。**

そして、スケジュールを計算し直して、安全なスケジュールが組めているかどうか、問題なくリリースをすることができるか状況を把握してください。慣れてくれば簡単ですし、中小規模のシステム開発でしたら1日もかからないと思います。逆に、**状況の変化を把握せずにプロジェクトを進めている状況は、PMはプロジェクトを管理できていない状況**となります。

追加要望があった場合、計画の再計算をした結果、バッファがなく、安全と思えないスケジュールになった場合は、追加請求やスケジュールの変更をしてください。たとえば、バッファが3人日しかないなか、5人日分の仕様変更をなにも考えずに合意した場合、バッファ外の2人日分の追加対応を誰かがやらなければなりません。

お客様と調整ができなかったとしても、フォロー体制を組むなどの対応が必要なので、やることが変わったら、常に再見積と再スケジュールが必要になります。

# 第3章 8 要件定義前の 概算見積

 ### 3.8.1 概算見積でも仮の基本設計

　要件定義前や提案時の概算見積において、中小規模のシステム開発の場合は、ある程度の具体的な見積が可能です。

　概算見積と言っても、最終的な見積と差がありすぎてもお客様が困りますし、システム開発の体制の準備にも支障がでます。

　要件定義前の概算見積の手順としましては、**ヒアリングした要求情報を基に、仮でもよいので要求を満たし、業務が回るシステムの内容を予測して、仮の基本設計を実施し見積**をします。

　見積方法は第2章で説明した見積の手順を参考にしてください。仮の基本設計から見積まで、慣れてくれば1週間もかからないと思います。ただし、不慣れな業務や不慣れな技術の場合はもっと時間はかかります。

　なお、詳細なヒアリングや要件定義や正式な基本設計をしていないので、もちろん見積精度は低いため、超概算見積という建てつけで見積を提示します。具体的には、仮で考えた基本設計をベースに、前述した見積手順で算出した見積が仮に1000万円だとしたら、幅をもたせて800万～1500万円などで提示します。

　また、事前に予算を聞けていれば、予算に合わせた見積や要望をすべて満たした見積、中間の見積の3つの見積を用意しましょう。もちろん、仮の基本設計内容のシステム概要も前提条件としてあわせてお伝えしましょう。

# 炎上プロジェクトの仕切り直しの考え方

## 3.9.1 仕切り直し時の見積

炎上プロジェクトとは、プロジェクトの運営が計画通りにコントロールができず、予定していた予算やスケジュールに対して、予算オーバーしたりスケジュールが遅延したりししている状態のプロジェクトのことを指します。

プロジェクトを計画通りにコントロールができていない状況のため、メンバーの稼働が高稼働になったり、お客様とトラブルになったり、さまざまな関係者に迷惑がかかります。

炎上プロジェクトの原因は大きく2つと考えられます。

・計画が間違っている
・計画は正しいが、なにかしらの原因で計画通りに進めることができない

計画が間違っている場合は、原因としては、見積が間違えているか、スケジュールが間違えているケースが高いです。

計画が正しい場合は、原因としては、チーム内に問題があり計画通りに進まない場合やお客様との調整に問題があり計画通りに進まないケースが多いです。

ここでは、計画が間違っている場合に対する対処について説明していきます。

炎上プロジェクトにおいて、計画に問題があると考えられた場合は、まずは現状を確認し、計画の仕切り直しをするかしないかを決めます。

計画の確認方法としては、第2章で説明した見積の手順を基に計画ができているかを確認します。さらに第1章で説明してきた前提事項やポイントも重要になります。

　要するに、精度の高い計画ができているかを確認します。炎上プロジェクトの原因はさまざまですが、経験上、計画の問題としては、以下の原因が多いです。

・要件定義（基本設計）前に、開発をはじめてしまうことによる計画
　の精度の低さ
・予算や既定のスケジュールに合わせた難易度の高い開発計画をす
　ることによる計画の実現性の低さ

　次に、計画が問題ないか確認するために残作業について、正確に工数見積とスケジューリングをして現状の計画と比較をします。

　なお、炎上しているということは、すでに完了した分の作業の品質も悪い可能性があるので、完了分の品質状況も確認して必要に応じて品質強化対応などの作業が必要になります。

　そして、**再スケジュールする内容は、絶対にズレない計画が必要**です。

　どのように見積をしたらよいかは、**これまで伝えた通り、作業を洗い出して、見積の手順に沿って見積をする**だけです。**お客様も責任者もピリピリしている状況下**だとしても、**忖度をした見積をしないようにしましょう。**見積工数とマスタースケジュールが算出できたら、従来の計画におけるリリース日が守れるか守れないかを確認し、難しいようでしたら、お客様にさらなる迷惑をかけないようにお客様に謝罪し、計画的でコントロールができるスケジュールで、リスケジューリングを申し込みましょう。

# memo

# 見積のアンチパターン

# 第4章 1 見積のアンチパターンの説明内容

　本章「見積のアンチパターン」では、炎上プロジェクトになってしまうアンチパターンの見積について説明していきます。

　基本的に、第1章「見積のポイント」、第2章「見積の手順」で説明した見積のノウハウでご説明したことに対して、逆のことを実施する場合、システム開発の計画の精度が下がり、炎上プロジェクトになってしまうケースが多いです。

　これからご紹介するアンチパターンの内容については、見積をする際やレビューをする際に改めてご確認いただけたらと願い記載しています。

　ぜひ、ご参考にしてください。

　見積のアンチパターンでは以下のパターンについて説明していきます。

●「こんなにかかるの？」に説明ができない場合

●基本設計がない場合

●工程の考慮がない場合

●予算に合わせ工数を減らした場合

● 特定のメンバーに頼った場合

● レビューをしない場合

　なお、実際の炎上プロジェクトの原因は、計画や見積の問題だけではなく、計画が正しくても、お客様との調整に問題があったり、チーム内に問題があったりして計画通りに実行ができないケースもあります。

　さらに、既存の環境に問題がある場合は、正しい計画をしようとしても正しい計画ができないケースもあります。
　そのような問題のある環境下での考え方について、以下にて説明しています。

● 既存の環境改善の難しさ

# 第4章 2 「こんなにかかるの?」に説明ができない場合

　見積の手順で説明した「自動加工バッチ」の見積を例に、機能内容の説明ができない場合の見積内容と説明ができている場合の見積内容を比較します。

　まずは、説明ができない場合の見積内容です。

　過去の見積レビューにおいて、以下のような一行だけの見積をする方が非常に多いです。見積工数のイメージをすることが難しいため、お客様に「こんなにかかるの?」と言われかねません。

■説明できない見積

| 機能内容 | 設計 | PG | UT 設計 | UT 実施 | IT 設計 | IT 実施 |
|---|---|---|---|---|---|---|
| POSの売上データから、月別店舗別の売上を導出しデータベースに保存する | 4.0 | 6.0 | 3.0 | 5.0 | 1.5 | 2.5 |
| 合計 | | | | | | 22.0 |

　次に、少し機能内容の記述量を増やしたケースですが、これでもPG工程の1行目で「なにに4人日もかかるのですか?」と言われかねません。

■まだ説明が難しい見積

| 機能内容 | 設計 | PG | UT 設計 | UT 実施 | IT 設計 | IT 実施 |
|---|---|---|---|---|---|---|
| POSの売上データから、月別店舗別の売上を導出しデータベースに保存する | 2.0 | 4.0 | 3.0 | 5.0 | 1.5 | 2.5 |
| POSは当該システムの所定のディレクトリにファイルを配置する | 0.5 | 0.5 | | | | |
| 15分ごとに、当該バッチを起動する | 0.5 | 0.5 | | | | |
| 過去データの移行にも利用可能とする | 0.5 | 0.5 | | | | |
| エラー発生時のリカバリにも利用可能とする | 0.5 | 0.5 | | | | |
| 小計 | 4.0 | 6.0 | 3.0 | 5.0 | 1.5 | 2.5 |
| 合計 | | | | | | 22.0 |

　次に、説明ができる見積内容です。

こちらの**詳細な機能内容を説明すれば、お客様も作業の工数をイメージしやすい**ですし、開発メンバーも安心します。

■ 説明ができる見積 (再掲)

| 機能内容 | 設計 | PG | UT 設計 | UT 実施 | IT 設計 | IT 実施 |
|---|---|---|---|---|---|---|
| POSの売上データから、月別店舗別の売上を導出しデータベースに保存する<br>・トランザクションテーブル作成 (設計・作業)<br>・関連マスターテーブル作成 (設計・作業)<br>・ファイル読み込み処理<br>・バリデーション処理<br>・売上サマリデータ投入処理<br>・エラー処理 | 2.0 | 4.0 | 3.0 | 5.0 | 1.5 | 2.5 |
| POSは当該システムの所定のディレクトリにファイルを配置する<br>・ファイル移動などのファイル管理処理<br>・ファイル有無チェック、無の場合の処理 | 0.5 | 0.5 | | | | |
| 15分ごとに、当該バッチを起動する<br>・多重起動チェック、エラー時の処理<br>・複数ファイル対応処理 | 0.5 | 0.5 | | | | |
| 過去データの移行にも利用可能とする (作業は別途計上)<br>・過去データも問題なく投入できるように考慮 | 0.5 | 0.5 | | | | |
| エラー発生時のリカバリにも利用可能とする<br>・エラー発生時の起動チェック、エラー時の処理 | 0.5 | 0.5 | | | | |
| 小計 | 4.0 | 6.0 | 3.0 | 5.0 | 1.5 | 2.5 |
| 合計 | | | | | | 22.0 |

　見積した工数は、プログラマーに作業依頼するときの工数であるべきです。

　逆に、見積が終わった後で、作業依頼内容を考えているやり方では、作業依頼を考えているときに、工数が大幅に変わる可能性が高く、計画が壊れかねません。作業依頼を受けたプログラマーがなにをする工数かわかる内容であれば、精度が高い計画になりますし、結果的に、お客様にも説明ができます。

# 基本設計がない場合

　見積の手順で説明した「自動加工バッチ」の見積を例に、基本設計ができない場合の見積内容と基本設計ができている場合の見積内容を比較します。

　以下が、基本設計をしていない見積例です。

■ 基本設計がない見積

| 機能内容 | 設計 | PG | UT設計 | UT実施 | IT設計 | IT実施 |
|---|---|---|---|---|---|---|
| POSの売上データから、月別店舗別の売上を導出しデータベースに保存する | 3.0 | 5.0 | 3.0 | 3.0 | 1.0 | 2.0 |
| 合計 | | | | | | **17.0** |

　基本設計ができていないと、機能内容が適当になり、工数も経験や勘だけに頼った工数になりやすいです。

　また、作業内容がイメージできないため、見積ミスが発生しやすいです。

　さらに、インターフェース定義がはっきりしていないと設計やプログラミングがスムーズに進まないため、開発時の難易度が非常に高くなります。

　なお、基本設計をしていたとしても、見積対象が1行の場合、その時点でレビューNGと考えていただいて問題ありません。

　次に、基本設計後の見積内容です。
　工数の根拠の量が多いため、計画の精度が高まります。

■基本設計をしている見積

| 機能内容 | 設計 | PG | UT 設計 | UT 実施 | IT 設計 | IT 実施 |
|---|---|---|---|---|---|---|
| POSの売上データから、月別店舗別の売上を導出しデータベースに保存する<br>・トランザクションテーブル作成（設計・作業）<br>・関連マスターテーブル作成（設計・作業）<br>・ファイル読み込み処理<br>・バリデーション処理<br>・売上サマリデータ投入処理<br>・エラー処理 | 2.0 | 4.0 | 3.0 | 5.0 | 1.5 | 2.5 |
| POSは当該システムの所定のディレクトリにファイルを配置する<br>・ファイル移動などのファイル管理処理<br>・ファイル有無チェック、無の場合の処理 | 0.5 | 0.5 | | | | |
| 15分ごとに、当該バッチを起動する<br>・多重起動チェック、エラー時の処理<br>・複数ファイル対応処理 | 0.5 | 0.5 | | | | |
| 過去データの移行にも利用可能とする（作業は別途計上）<br>・過去データも問題なく投入できるように考慮 | 0.5 | 0.5 | | | | |
| エラー発生時のリカバリにも利用可能とする<br>・エラー発生時の起動チェック、エラー時の処理 | 0.5 | 0.5 | | | | |
| 小計 | 4.0 | 6.0 | 3.0 | 5.0 | 1.5 | 2.5 |
| 合計 | | | | | | 22.0 |

基本設計なしの見積工数と比較して5人日違います。

　基本設計ができていないなかで見積をする場合は、仮でもよいので要件となる業務が十分回る「仮のシステムを想定した基本設計」をしたうえで見積をしてください。基準や前提のない見積を渡されてもお客様も不安です。

　全く知見のないシステムの基本設計は難しいと思いますが、ある程度経験があるシステムであれば、仮の基本設計はそこまで時間はかかりません。

# 工程の考慮がない場合

　見積の手順で説明した「自動加工バッチ」の見積を例に、工程の考慮ができていない場合の見積内容と工程の考慮ができている場合の見積内容を比較します。

　以下が、工程の考慮が足りない見積例です。

■工程の考慮がない見積

| 機能内容 | 設計 | PG | テスト |
|---|---|---|---|
| POSの売上データから、月別店舗別の売上を導出しデータベースに保存する<br>・トランザクションテーブル作成（設計・作業）<br>・関連マスターテーブル作成（設計・作業）<br>・ファイル読み込み処理<br>・バリデーション処理<br>・売上サマリデータ投入処理<br>・エラー処理 | 2.0 | 4.0 | 4.0 |
| POSは当該システムの所定のディレクトリにファイルを配置する<br>・ファイル移動などのファイル管理処理<br>・ファイル有無チェック、無の場合の処理 | 0.5 | 0.5 | |
| 15分ごとに、当該バッチを起動する<br>・多重起動チェック、エラー時の処理<br>・複数ファイル対応処理 | 0.5 | 0.5 | |
| 過去データの移行にも利用可能とする（作業は別途計上）<br>・過去データも問題なく投入できるように考慮 | 0.5 | 0.5 | |
| エラー発生時のリカバリにも利用可能とする<br>・エラー発生時の起動チェック、エラー時の処理 | 0.5 | 0.5 | |
| 小計 | 4.0 | 6.0 | 4.0 |
| 合計 | | | 14.0 |

　過去の見積レビューにおいて、設計とPGの工程は考慮されていることが多いのですが、テスト工程になると工程の考慮が減ってしまうケースが多いです。テストは、大きく単体テストと結合テストと分け

られますし、さらにテスト設計とテスト実施とで分けられますが、テストのみで見積をすると、テスト工程のイメージができず、工数を少なく見積をしてしまうリスクがあります。

次に、工程の考慮ができている見積内容です。

**■ 工程の考慮をしている見積**

| 機能内容 | 設計 | PG | UT 設計 | UT 実施 | IT 設計 | IT 実施 |
|---|---|---|---|---|---|---|
| POSの売上データから、月別店舗別の売上を導出しデータベースに保存する<br>・トランザクションテーブル作成（設計・作業）<br>・関連マスターテーブル作成（設計・作業）<br>・ファイル読み込み処理<br>・バリデーション処理<br>・売上サマリデータ投入処理<br>・エラー処理 | 2.0 | 4.0 | 3.0 | 5.0 | 1.5 | 2.5 |
| POSは当該システムの所定のディレクトリにファイルを配置する<br>・ファイル移動などのファイル管理処理<br>・ファイル有無チェック、無の場合の処理 | 0.5 | 0.5 | | | | |
| 15分ごとに、当該バッチを起動する<br>・多重起動チェック、エラー時の処理<br>・複数ファイル対応処理 | 0.5 | 0.5 | | | | |
| 過去データの移行にも利用可能とする（作業は別途計上）<br>・過去データも問題なく投入できるように考慮 | 0.5 | 0.5 | | | | |
| エラー発生時のリカバリにも利用可能とする<br>・エラー発生時の起動チェック、エラー時の処理 | 0.5 | 0.5 | | | | |
| 小計 | 4.0 | 6.0 | 3.0 | 5.0 | 1.5 | 2.5 |
| 合計 | | | | | | **22.0** |

テスト工程を分ける理由を補足しますと、まず、誰でも品質の高いテストの「設計」ができるとはかぎりません。

次に、可能であれば、設計後にすぐにPGを始めるよりも、単体テスト設計を先に実施したほうが、設計ミスに気がつけたり、PGの処理がはっきりして、品質が上がります。

　さらに、テスト設計とテスト実施を分けていない場合、PGが終わらないとテスト設計作業を先に進める発想や細かい計画がしづらくなります。

　工数を効率的に消化するためにも、工数を正確に算出するためにも、工程は細かく考慮したほうがよいです。

　また、工程がまとまっている場合、1つの作業の工数が大きな数字になり、お客様から説明を求められやすくなります。

　そのため、**1つひとつの作業の工数が少なくなるように工程を細かく分けて、記載したほうがよい**です。見積の根拠の説明もしやすくなります。

## ✿ COLUMN ✿

# 計画の成功のためには
# 難易度を下げる

　システム開発において、計画時や開発時でも、可能なかぎり難易度を下げることがプロジェクトの成功の鍵となります。

　理由は、難しいやり方は、計画に対し実現性が低いためです。

　難易度を下げる例を挙げます。

・作るものが決まっていないなかで見積を始めるのではなく、まずは基本設計をして、作るものをはっきりさせてから見積を始める

・根拠のない無理なスケジュールのなかで開発を進めるのではなく、正確な工数見積をしてから根拠があり余裕のあるスケジュールを作成してから開発を始める

・必要以上に高度な開発手法で行うのではなく、必要な範囲で人を選ばず構築できる開発手法を行う

・必須でない作業に必要以上に時間を使うのではなく、シンプルにシステム開発に必要な作業に時間を集中して使う

・必要がないのに経験のない新しい技術を使って開発をするのではなく、計画の実現性が高い使い慣れた技術を使って
開発をする

　制限時間があるなかで正確にシステム開発をするためには、必要がないのであれば、簡単なやり方でやりましょう。

# 予算に合わせて工数だけを減らした場合

　見積の手順で説明した「自動加工バッチ」の見積を例に、予算に合わせて、内容を減らさず、工数だけを減らした場合の見積内容と通常の見積内容を比較します。

　以下が、予算に合わせて工数を減らした見積例です。

■予算に合わせて工数を減らした見積

| 機能内容 | 設計 | PG | UT設計 | UT実施 | IT設計 | IT実施 |
|---|---|---|---|---|---|---|
| POSの売上データから、月別店舗別の売上を導出しデータベースに保存する<br>・トランザクションテーブル作成（設計・作業）<br>・関連マスターテーブル作成（設計・作業）<br>・ファイル読み込み処理<br>・バリデーション処理<br>・売上サマリデータ投入処理<br>・エラー処理 | 2.0 | 2.0 | 2.0 | 3.0 | 1.5 | 2.5 |
| POSは当該システムの所定のディレクトリにファイルを配置する<br>・ファイル移動などのファイル管理処理<br>・ファイル有無チェック、無の場合の処理 | 0.5 | 0.5 | | | | |
| 15分ごとに、当該バッチを起動する<br>・多重起動チェック、エラー時の処理<br>・複数ファイル対応処理 | 0.5 | 0.5 | | | | |
| 過去データの移行にも利用可能とする（作業は別途計上）<br>・過去データも問題なく投入できるように考慮 | 0.5 | 0.5 | | | | |
| エラー発生時のリカバリにも利用可能とする・<br>・エラー発生時の起動チェック、エラー時の処理 | 0.5 | 0.5 | | | | |
| 小計 | 4.0 | 4.0 | 2.0 | 3.0 | 1.5 | 2.5 |
| 合計 | | | | | | 17.0 |

　見積をしている最中に、お客様の予算やスケジュールなどを意識しすぎて、工数自体を減らしてしまうパターンです。

次に、通常の見積です。

■正しい見積

| 機能内容 | 設計 | PG | UT設計 | UT実施 | IT設計 | IT実施 |
|---|---|---|---|---|---|---|
| POSの売上データから、月別店舗別の売上を導出しデータベースに保存する<br>・トランザクションテーブル作成（設計・作業）<br>・関連マスターテーブル作成（設計・作業）<br>・ファイル読み込み処理<br>・バリデーション処理<br>・売上サマリデータ投入処理<br>・エラー処理 | 2.0 | 4.0 | 3.0 | 5.0 | 1.5 | 2.5 |
| POSは当該システムの所定のディレクトリにファイルを配置する<br>・ファイル移動などのファイル管理処理<br>・ファイル有無チェック、無の場合の処理 | 0.5 | 0.5 | | | | |
| 15分ごとに、当該バッチを起動する<br>・多重起動チェック、エラー時の処理<br>・複数ファイル対応処理 | 0.5 | 0.5 | | | | |
| 過去データの移行にも利用可能とする（作業は別途計上）<br>・過去データも問題なく投入できるように考慮 | 0.5 | 0.5 | | | | |
| エラー発生時のリカバリにも利用可能とする<br>・エラー発生時の起動チェック、エラー時の処理 | 0.5 | 0.5 | | | | |
| 小計 | 4.0 | 6.0 | 3.0 | 5.0 | 1.5 | 2.5 |
| 合計 | | | | | | 22.0 |

予算に合わせて工数を減らした見積に比べ、5人日も違います。気持ち1つで5人日も変わってしまいます。

予算やスケジュールを意識してしまう気持ちは十分にわかりますが、作業工数を減らすということはプログラマーにリスクを分散しているということになります。

工数を減らす場合は、お客様も交えて、機能を減らすなどの調整方法にしましょう。くわしくは、第3章のケーススタディの「お客様の予算に合わない場合の対応例」を参考にしてください。

# 特定のメンバーに頼った場合

　見積の手順で説明した「自動加工バッチ」の見積を例に、特定のメンバーに頼った場合の見積内容と通常の見積内容を比較します。

　以下が、特定のメンバーに頼った見積例です。数値にあまり意味はないので、前述で利用した例を再掲します。

■特定のメンバーに頼って工数を減らした見積

| 機能内容 | 設計 | PG | UT設計 | UT実施 | IT設計 | IT実施 |
|---|---|---|---|---|---|---|
| POSの売上データから、月別店舗別の売上を導出しデータベースに保存する<br>・トランザクションテーブル作成（設計・作業）<br>・関連マスターテーブル作成（設計・作業）<br>・ファイル読み込み処理<br>・バリデーション処理<br>・売上サマリデータ投入処理<br>・エラー処理 | 2.0 | 2.0 | 2.0 | 3.0 | 1.5 | 2.5 |
| POSは当該システムの所定のディレクトリにファイルを配置する<br>・ファイル移動などのファイル管理処理<br>・ファイル有無チェック、無の場合の処理 | 0.5 | 0.5 | | | | |
| 15分ごとに、当該バッチを起動する<br>・多重起動チェック、エラー時の処理<br>・複数ファイル対応処理 | 0.5 | 0.5 | | | | |
| 過去データの移行にも利用可能とする（作業は別途計上）<br>・過去データも問題なく投入できるように考慮 | 0.5 | 0.5 | | | | |
| エラー発生時のリカバリにも利用可能とする<br>・エラー発生時の起動チェック、エラー時の処理 | 0.5 | 0.5 | | | | |
| 小計 | 4.0 | 4.0 | 2.0 | 3.0 | 1.5 | 2.5 |
| 合計 | | | | | | 17.0 |

　現実に、特定のメンバーに頼ることは多いと思います。しかし、現実的に、特定のメンバーでも、見積の工数より時間がかかるケースや、

頼りにしていた人が参画できないケースもあり、計画が崩れやすいため推奨しません。

　次に、通常の見積です。

■正しい見積（再掲）

| 機能内容 | 設計 | PG | UT設計 | UT実施 | IT設計 | IT実施 |
|---|---|---|---|---|---|---|
| POSの売上データから、月別店舗別の売上を導出しデータベースに保存する<br>・トランザクションテーブル作成（設計・作業）<br>・関連マスターテーブル作成（設計・作業）<br>・ファイル読み込み処理<br>・バリデーション処理<br>・売上サマリデータ投入処理<br>・エラー処理 | 2.0 | 4.0 | 3.0 | 5.0 | 1.5 | 2.5 |
| POSは当該システムの所定のディレクトリにファイルを配置する<br>・ファイル移動などのファイル管理処理<br>・ファイル有無チェック、無の場合の処理 | 0.5 | 0.5 | | | | |
| 15分ごとに、当該バッチを起動する<br>・多重起動チェック、エラー時の処理<br>・複数ファイル対応処理 | 0.5 | 0.5 | | | | |
| 過去データの移行にも利用可能とする（作業は別途計上）<br>・過去データも問題なく投入できるように考慮 | 0.5 | 0.5 | | | | |
| エラー発生時のリカバリにも利用可能とする<br>・エラー発生時の起動チェック、エラー時の処理 | 0.5 | 0.5 | | | | |
| 小計 | 4.0 | 6.0 | 3.0 | 5.0 | 1.5 | 2.5 |
| 合計 | | | | | | 22.0 |

　特定のメンバーに頼った見積に比べ、5人日違います。

　なお、特定のメンバーに頼った場合のその他リスクとしては、将来、同じお客様への追加開発などで類似機能の見積が発生した場合、特定のメンバーがいなければ工数が増えてしまい、お客様に過去よりも工数が増えていることに対し、理由の説明を求められやすくなります。

# 第4章
## 7 レビューをしない場合

　見積の手順で説明した「自動加工バッチ」の見積を例に、レビューをしない場合の見積内容と通常の見積内容を比較します。

　以下が、レビューをしなかった場合の見積例です。数値にあまり意味はないので、前述で利用した例を再掲します。

■レビューをしていない見積

| 機能内容 | 設計 | PG | UT設計 | UT実施 | IT設計 | IT実施 |
|---|---|---|---|---|---|---|
| POSの売上データから、月別店舗別の売上を導出しデータベースに保存する<br>・トランザクションテーブル作成（設計・作業）<br>・関連マスターテーブル作成（設計・作業）<br>・ファイル読み込み処理<br>・バリデーション処理<br>・売上サマリデータ投入処理<br>・エラー処理 | 2.0 | 2.0 | 2.0 | 3.0 | 1.5 | 2.5 |
| POSは当該システムの所定のディレクトリにファイルを配置する<br>・ファイル移動などのファイル管理処理<br>・ファイル有無チェック、無の場合の処理 | 0.5 | 0.5 | | | | |
| 15分ごとに、当該バッチを起動する<br>・多重起動チェック、エラー時の処理<br>・複数ファイル対応処理 | 0.5 | 0.5 | | | | |
| 過去データの移行にも利用可能とする（作業は別途計上）<br>・過去データも問題なく投入できるように考慮 | 0.5 | 0.5 | | | | |
| エラー発生時のリカバリにも利用可能とする<br>・エラー発生時の起動チェック、エラー時の処理 | 0.5 | 0.5 | | | | |
| 小計 | 4.0 | 4.0 | 2.0 | 3.0 | 1.5 | 2.5 |
| 合計 | | | | | | 17.0 |

　なお、レビューをしないPMに多い傾向が、見積工数が厳しいケースです。このように**個人の感覚次第で、工数は変わってしまうため、レビューがとても重要**になります。

次に、通常の見積です。

■ 正しい見積（再掲）

| 機能内容 | 設計 | PG | UT設計 | UT実施 | IT設計 | IT実施 |
|---|---|---|---|---|---|---|
| POSの売上データから、月別店舗別の売上を導出しデータベースに保存する<br>・トランザクションテーブル作成（設計・作業）<br>・関連マスターテーブル作成（設計・作業）<br>・ファイル読み込み処理<br>・バリデーション処理<br>・売上サマリデータ投入処理<br>・エラー処理 | 2.0 | 4.0 | 3.0 | 5.0 | 1.5 | 2.5 |
| POSは当該システムの所定のディレクトリにファイルを配置する<br>・ファイル移動などのファイル管理処理<br>・ファイル有無チェック、無の場合の処理 | 0.5 | 0.5 | | | | |
| 15分ごとに、当該バッチを起動する<br>・多重起動チェック、エラー時の処理<br>・複数ファイル対応処理 | 0.5 | 0.5 | | | | |
| 過去データの移行にも利用可能とする（作業は別途計上）<br>・過去データも問題なく投入できるように考慮 | 0.5 | 0.5 | | | | |
| エラー発生時のリカバリにも利用可能とする<br>・エラー発生時の起動チェック、エラー時の処理 | 0.5 | 0.5 | | | | |
| 小計 | 4.0 | 6.0 | 3.0 | 5.0 | 1.5 | 2.5 |
| 合計 | | | | | | 22.0 |

レビュー済みの通常の見積に比べ、5人日違います。

見積工数が足りない場合、開発メンバーに迷惑がかかりますし、品質にも影響するためお客様にも迷惑がかかります。

システム開発は、常に慎重に計画をして、慎重にプロジェクトを進めていくことで、やっと成功します。

# 第4章 8 既存の環境改善の難しさ

　ここまでアンチパターンとして紹介してきましたが、状況によってはリスクを背負ってアンチパターンの見積をするしかない現場もあると思います。

　たとえば、いろいろな負の文化が定着している現場での見積です。上長やお客様やキーマンへの説得がどうしても難しい場合はあります。この場合、PMだけの力では正しい見積への改善が難しい場合はあります。このような環境下では、雰囲気が悪く退職者が多いものです。そして、プロジェクトの運営がより難しくなっていきます。

　人がすぐにやめるプロジェクトや空気が悪いプロジェクト、残業を強要するプロジェクトなど、大変な現場では、正常な状況を作り出すことに本当に苦労します。なかなか正常化をすることは難しいです。

　炎上プロジェクトは計画性やリーディングに原因があることがほとんどですが、**退職者を多く出すプロジェクトは、実は「人」に原因があることが多い**です。特に原因となる人が偉い方の場合、改善は非常に難しいです。


　私が環境改善に成功した際に多い条件としては、炎上プロジェクトの原因となる人の異動です。**キーマンの異動は混乱を心配しますが、だいたいどのプロジェクトも、これまで以上にスムーズに問題なく進むようになります。**

　そもそも、大抵のプロジェクトはPMを含めメンバーまで納得できる運営ができていれば大きな問題は起きづらいと考えています。

　利益やお客様を優先しすぎると、無理な計画となり、プロジェクトは失敗しやすくなります。

場合によっては、メンバーの残業に依存する状況もありますが、PMが真摯に仕事をして、開発メンバーに優しい方ならば、前向きに仕事をしてくれる開発メンバーも少なくありません。

経験上、退職者を多く出す原因は、無理のある利益の搾取や個人のエゴやポジションを守るための攻撃的な態度やパワハラを中心とした不自然な圧力にあります。このような仕事の仕方やビジネスは、不自然な圧力をかけなければ成り立たないレベルのビジョンのないビジネスです。

また、退職者を多く出したり炎上プロジェクトの原因となったりする人が最後までやり切った場合、それはそれで評価される会社もあります。もちろん、どんな条件下でも仕事をがんばり続けた方々にとっては、途中で退職する方々よりもがんばり続けた方々を評価したくなる気持ちは理解できます。

しかし、無理な契約や不自然な仕事環境は、本来あるべき姿ではなく、メンバーがついてこない継続性のないビジネスのやり方と認識し、計画性の強化やハラスメント対策の強化、ビジョンの見直しなどの改善は必要です。

既存の環境改善は難しいですが、少しでも現場を改善できたらと願います。ただし、環境改善はストレスが多くかかるため、無理をするとご自身の心身の健康面に影響する可能性があるため、ご自身を大切にして、あまり無理をしなくてもよいと思います。

# memo

........................................................
........................................................
........................................................
........................................................
........................................................
........................................................
........................................................
........................................................
........................................................
........................................................
........................................................
........................................................
........................................................
........................................................
........................................................
........................................................
........................................................
........................................................
........................................................
........................................................
........................................................
........................................................
........................................................

# 第5章

# 見積と管理

# 第5章 1 見積と管理の説明内容

　本章「見積と管理」では、システム開発において、見積通りにプロジェクトを運営するための管理について説明していきます。

　見積では、システム開発内容、金額とスケジュールを提案します。なお、契約は基本的に最終的な見積内容で締結されます。

　そして、プロジェクトが始まったら、プロジェクトの計画通りに作業を進めるために、PMがリーディングと管理、調整をしていきます。

　プロジェクトの計画とは、見積時に決めたスケジュールや体制、その他として売上やコスト、利益などが含まれます。
　基本的には、体制が崩れないようにプロジェクトを運営できれば、これらの計画は守ることができます。
　体制が崩れるとは「開発に関わるメンバーの計画外の増減」です。計画外に人が増えれば利益が減り、人が減ればスケジュールに影響します。体制が崩れる原因は、作業指示や管理か、パワハラやマイクロマネジメントなどの人間関係によるものとなります。
　これらのリスクも踏まえて、プロジェクト管理について説明していきます。

　なお、本書における**プロジェクト管理のインプット情報は、本書における見積のアウトプットが利用できます。**

　具体的には、機能ごとの見積工数表や、内部用スケジュール、メンバーと役割情報、マスタースケジュールです。

これらのインプット情報を利用すれば、WBSとなるタスク情報と工数、スケジュールがわかるため、作業指示のために利用するガントチャートをスムーズに作成することができます。

見積と管理では以下の内容について説明していきます。

●見積とプロジェクト管理
　❖見積と管理の概要説明からはじまり、見積資料から作業指示やガントチャート作成、見積の反省方法について説明していきます。

●見積とプロジェクトリーディング
　❖見積の計画通りに進めるためのリーディングについて説明します。また、計画性を重視したプロジェクト運営により懸念される開発メンバーの自発性や教育へのケアについて説明しています。

●リーディングのアンチパターン
　❖計画が正しくても、リーディングが間違えていたら計画通りに進まなくなるため、リーディングに対するアンチパターンを紹介します。

●見積と管理のまとめ
　❖見積とプロジェクトのリーディング、管理についてのまとめを説明します。

# 見積とプロジェクト管理

## 5.2.1 見積と管理

　本書の見積方法は、詳細なシステム開発の計画をして、必要な工数を算出しているため、見積の手順で作成している資料は、そのままシステム開発時の管理に利用できます。

　**ガントチャートを作るために必要な情報や作業指示内容は、見積時にすでに計画済み**です。

　そのため、システム開発の計画は、見積の段階で計画は完了しているため、システム開発を受注し開発が始まったら見積の計画内容に従って作業を指示していくことができます。

　逆に、システム開発がはじまってから計画を立てることはあまり推奨しません。システム開発がはじまってから詳細な計画を立てていては、想定以上の工数が必要とわかった場合、お客様と約束した納期に間に合わないかもしれません。さらに、人員が足りなくなるかもしれません。
　そのため、見積は、見積資料を見ればどのような開発になるかがすぐにわかる資料であるべきです。見積資料はお客様のための資料ですが、開発計画のための資料でもあります。

　見積情報を管理で利用する具体例は次項以降で紹介していきます。

　機能の構築内容の指示には、見積時に作成した機能ごとの見積工数

表がそのまま利用できます。機能内容をしっかり記載しているので、開発工程でズレが発生することが少なくなります。

　**ガントチャートの作成には、スケジュールの手順で完成させた簡易的な内部用スケジュールと機能ごとの見積工数表、メンバーと役割情報を利用すれば簡単に作成することができます。**

　マスタースケジュールは、そのまま利用ができます。なお、マスタースケジュールはお客様だけでなく開発メンバーも把握している必要があるため、開発メンバーも意識しやすいように見せる工夫が必要になります。

　ガントチャートのスケジュールは変更されやすいものです。たとえば、開発メンバーに急な用事ができたり、単純に遅延が発生したりすれば、スケジュールを変更する必要があります。

　ただし、開発メンバーは遅延した際に、どこまで遅れられるのだろうと気になるため、マスタースケジュールの把握が必要になります。

　現場によっては、見積工数やマスタースケジュールを、開発メンバーに正確に公開しなかったり、見積工数より少ない工数で作業依頼をしたりしますが、そのような管理は開発メンバーに対して失礼ですし、開発メンバーの残業時間が多くなってしまっては、無計画な管理と同じになってしまいます。

　本書では計画内容を開発メンバーにも正確に理解していただき、プロジェクトを管理していきます。

## 5.2.2 見積資料から作業指示

　第2章で説明した工数見積の手順において、各機能の機能内容を洗い出して工数を算出しましたが、開発メンバーに作業指示をする際は、洗い出した機能内容と基本設計内容を合わせて説明すれば問題ありません。

　たとえば、自動加工バッチの設計を指示するとして、まずは基本設計内容を説明します。

■ 見積資料から作業指示 (自動加工バッチ) (再掲)

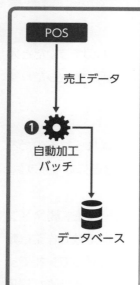

・機能概要
- POSの売上データから、月別店舗別の売上を導出しデータベースに保存する
- POSは当該システムの所定のディレクトリにファイルを配置する
- 15分ごとに、当該バッチを起動する
- 過去データの移行にも利用可能とする
- エラー発生時のリカバリにも利用可能とする

・インターフェース定義
- POSからの売上データ
  ・ファイル形式
    - CSV形式 / ヘッダー行なし / カンマ区切り (ダブルクォーテーションつき)
    - 文字コード UTF-8 / 改行コード CRLF
    - ファイル名ルール pos_yyyyMMddHHmmss-fff.csv
  ・項目
    - 取引ID / 必須 / 半角数字 / 1〜20桁
    - 取引明細番号 / 必須 / 半角数字 / 1〜10桁
    - 売上日時 / 必須 / yyyyMMddHHmmssfff
    - 品目ID / 必須 / 半角英数字 / 1〜10桁
    - 店舗ID / 必須 / 半角数字 / 1〜10桁
    - 売上金額 / 必須 / 半角数字 / 1〜10桁
    - 売上数量 / 必須 / 半角数字 / 1〜10桁

次に、見積資料を基に、自動加工バッチの説明をします。

■見積例（自動加工バッチ：再掲）

| 機能内容 | 設計 | PG | UT設計 | UT実施 | IT設計 | IT実施 |
|---|---|---|---|---|---|---|
| POSの売上データから、月別店舗別の売上を導出しデータベースに保存する<br>・トランザクションテーブル作成（設計・作業）<br>・関連マスターテーブル作成（設計・作業）<br>・ファイル読み込み処理<br>・バリデーション処理<br>・売上サマリデータ投入処理<br>・エラー処理 | 2.0 | 4.0 | 3.0 | 5.0 | 1.5 | 2.5 |
| POSは当該システムの所定のディレクトリにファイルを配置する<br>・ファイル移動などのファイル管理処理<br>・ファイル有無チェック、無の場合の処理 | 0.5 | 0.5 | | | | |
| 15分ごとに、当該バッチを起動する<br>・多重起動チェック、エラー時の処理<br>・複数ファイル対応処理 | 0.5 | 0.5 | | | | |
| 過去データの移行にも利用可能とする（作業は別途計上）<br>・過去データも問題なく投入できるように考慮 | 0.5 | 0.5 | | | | |
| エラー発生時のリカバリにも利用可能とする<br>・エラー発生時の起動チェック、エラー時の処理 | 0.5 | 0.5 | | | | |
| 小計 | 4.0 | 6.0 | 3.0 | 5.0 | 1.5 | 2.5 |
| 合計 | | | | | | 22.0 |

インターフェース定義や機能の定義が中心の基本設計書に対し、見積資料の機能内容には、工数を正確に抽出するために、機能設計書に近い要素が含まれています。

また、大まかですが機能内容は大きな括りごとに、工数が設定されているため、開発メンバー自身でも計画をイメージすることができます。

もちろん、見積資料は完璧に機能設計しているわけではないので、設計工程で、入念に要件を満たし、問題なく運用することができるか検討した設計作業が必要です。

　しかし、**これだけの資料と説明があれば、開発は計画通りにスムーズに進められる**と考えられます。

## 5.2.3 見積資料からガントチャート作成

　第2章で説明したスケジューリングの手順において、作成した簡易的な内部スケジュールとメンバーと役割情報、最終的な山積み、機能ごとの工数見積表を使って、開発メンバー向けのガントチャートを作成する手順を説明します。まず、以下が内部用スケジュール表です。

■簡易的な内部用スケジュール

| 作業工程 | N月 | N月+1 | N月+2 | 見積工数 | 各工程上限工数 | 小計 | 設定工数チェック |
|---|---|---|---|---|---|---|---|
| 基本機能／設計 | 7.0 | | | 7.0 | 40.0 | 7.0 | OK |
| 基本機能／PG | 7.0 | | | 7.0 | 40.0 | 7.0 | OK |
| 設計 | 11.5 | | | 11.5 | 40.0 | 11.5 | OK |
| PG | 12.5 | 7.0 | | 19.5 | 40.0 | 19.5 | OK |
| UT設計 | | 9.5 | | 9.5 | 60.0 | 9.5 | OK |
| UT実施 | | 14.0 | | 14.0 | 60.0 | 14.0 | OK |
| UT課題／設計・PG | | 9.5 | | 9.5 | 40.0 | 9.5 | OK |
| UT課題／テスト | | 7.5 | | 7.5 | 60.0 | 7.5 | OK |
| 内部IT設計 | | 3.0 | | 3.0 | 40.0 | 3.0 | OK |
| 内部IT実施 | | 3.0 | | 3.0 | 60.0 | 3.0 | OK |
| インフラ設計 | | 5.0 | | 5.0 | 20.0 | 5.0 | OK |
| インフラ作業 | | 15.0 | | 15.0 | 20.0 | 15.0 | OK |
| 外部IT設計 | | 1.5 | | 1.5 | 40.0 | 1.5 | OK |
| 外部IT実施 | | | 2.5 | 2.5 | 60.0 | 2.5 | OK |
| IT課題／設計・PG | | | 4.5 | 4.5 | 40.0 | 4.5 | OK |
| IT課題／テスト | | | 5.0 | 5.0 | 60.0 | 5.0 | OK |
| 移行準備 | | 4.0 | | 4.0 | 40.0 | 4.0 | OK |
| 移行作業 | | | 6.0 | 6.0 | 60.0 | 6.0 | OK |
| ST設計 | | | 1.0 | 1.0 | 40.0 | 1.0 | OK |
| ST実施 | | | 3.0 | 3.0 | 60.0 | 3.0 | OK |
| ST課題／設計・PG | | | 4.5 | 4.5 | 40.0 | 4.5 | OK |
| ST課題／テスト | | | 5.0 | 5.0 | 60.0 | 5.0 | OK |
| リソース上限工数 | 40.0 | 80.0 | 40.0 | | | | |
| 小計 | 38.0→OK | 79.0→OK | 31.5→OK | | | | |
| 設定工数チェック | -2.0 | -1.0 | -8.5 | | | | |
| 合計 | | | | | | | 148.5 |

メンバーと役割情報です。

**■メンバーと役割情報**

| 作業者 | 設計 | PG | UT設計 | UT実施 | 内部IT設計 | 内部IT実施 | インフラ設計 | インフラ作業 | 外部IT設計 | 外部IT実施 | 移行準備 | 移行作業 | ST設計 | ST実施 | 役割 |
|---|---|---|---|---|---|---|---|---|---|---|---|---|---|---|---|
| A氏 | ○ | ○ | ○ | ○ | ○ | ○ | × | × | ○ | ○ | ○ | ○ | ○ | ○ | 設計、PG、テスト |
| B氏 | ○ | ○ | ○ | ○ | ○ | ○ | × | × | ○ | ○ | ○ | ○ | ○ | ○ | 設計、PG、テスト |
| C氏 | × | × | ○ | × | ○ | ○ | × | × | ○ | × | ○ | × | ○ | ○ | テスト |
| D氏 | − | − | − | − | − | − | ○ | ○ | − | − | − | − | − | − | インフラ |

　最終的な山積み情報です。ガントチャート作成時には不要ですが、全体的なスケジュールの管理に利用します。

**■金額と山積（再掲）**

| 作業者 | N月 | N月+1 | N月+2 | N月+3 | 対応期間 | 売上（万円） | コスト（万円） | 役割 |
|---|---|---|---|---|---|---|---|---|
| A氏 | ○ | ○ | ○ | ○ | 4ヶ月間 | 480 | 400 | 設計、PG、テスト |
| B氏 | ○ | ○ | ○ | × | 3ヶ月間 | 360 | 300 | 設計、PG、テスト |
| C氏 | × | ○ | × | × | 1ヶ月間 | 120 | 100 | テスト |
| D氏 | × | ○ | △ | △ | 1.2ヶ月間 | 144 | 120 | インフラ |
| E氏 | ○ | ○ | ○ | △ | 3.2ヶ月間 | 384 | 320 | PM・PL |
| 工程 | 設計 | PG | テスト | リリース | 合計 | 1,488 | 1,240 | − |

機能ごとの工数見積表です。まずは、Webシステムの基本機能構築からガントチャートに記載していきたいと思います。

■Webの基本機能の見積 (再掲)

| 機能内容 | 設計 | PG | UT設計 | UT実施 | IT設計 | IT実施 |
|---|---|---|---|---|---|---|
| ディレクトリ構成を検討し用意する | 0.5 | 0.5 | | | | |
| 機能作成時の拡張性と保守性を考慮したフレームワークやソース構成を検討し用意する | 1.5 | 1.5 | | | | |
| 機能・非機能で利用するライブラリを検討し用意する | 0.5 | 0.5 | | | | |
| ログ出力の構成を検討し用意する | 0.5 | 0.5 | | | | |
| DB接続、トランザクション管理の構成を検討し用意する | 0.5 | 0.5 | | | | |
| セキュリティ対応を検討し用意する | 0.5 | 0.5 | | | | |
| 小計 | 4.0 | 4.0 | | | | |
| 合計 | | | | | | 8.0 |

まず、ガントチャートを作成するためには、ツールが必要になりますが、どのツールで作成していただいても問題ありません。本書では、比較的誰でも作成できるように表計算ソフト形式のツールで作成します。なお、**ガントチャートに関しては見やすさも大切ですが、予定の変更が面倒にならないこと、素早く修正ができることを非常に重要視**しています。理由は、**プロジェクトを進めていくにあたり、ガントチャートの管理が疎かになることでプロジェクトの進捗状況や把握状況がわからなくなると、問題なくリリースができる状況か把握ができなくなるため**です。そのため、ガントチャート作成のツール選定では開発メンバーの利用のしやすさも大切ですが、ガントチャートにかぎっては、管理作業 (特にスケジュールの変更作業) の負荷がかからないようなツールを選ぶことを優先する必要があります。

それでは、機能ごとの工数見積表を見ながら作成していきます。ガントチャートの1例として参考にしてください。

　まずは、ガントチャートを記載していく枠を作ります。

■ガントチャートの枠

| | | | | | | 月 | 9 | | | |
|---|---|---|---|---|---|---|---|---|---|---|
| | | | | | | 日 | 1 | 2 | 3 | 4 | 5 |
| 担当者 | 機能名 | 作業内容 | 見積工数 | 予定済工数 | CHK | 金 | 土 | 日 | 月 | 火 |
| | | | | | | | - | - | | |
| | | | | | | | - | - | | |
| | | | | | | | - | - | | |

　機能ごとの見積工数表を基に、まずは、Webシステムの基本機能について、作業内容や見積工数を記入していきます。そして、担当者を割り当てます。

■ガントチャートに基本機能を追記

| | | | | | | 月 | 9 | | | |
|---|---|---|---|---|---|---|---|---|---|---|
| | | | | | | 日 | 1 | 2 | 3 | 4 | 5 |
| 担当者 | 機能名 | 作業内容 | 見積工数 | 予定済工数 | CHK | 金 | 土 | 日 | 月 | 火 |
| A氏 | Webシステムの基本機能 | 設計 | 4 | 0 | -4 | | - | - | | |
| A氏 | Webシステムの基本機能 | PG | 4 | 0 | -4 | | - | - | | |
| | | | | | | | - | - | | |

　作業内容を記入したら、次のように小日程レベルで予定を記入してガントチャート化します。1人の担当者の1日の割り当て工数が1人日以下になるように設定していきます。表計算ソフトベースのガントチャートは、割り当て工数のチェックも簡単に行えるため便利な点もあります。

　なお、作業の日程において、1日の作業工数を指定する方式ではなく、開始日と終了日で日程を指定する方式のガントチャートツールも

ありますが、その場合、スケジューリングにおいて、1人の担当者がその日になんの作業をどのくらいの工数やればよいかを示すことがあいまいになるため、正確な計画を作るためには、作業工数を指定する方式を推奨します。

作業予定の登録方法は、見積工数分、各予定日のセルに予定工数を入力する形式にします。予定を入力した合計値は、「予定済工数」セルに集計し、見積工数分を設定できているかチェックします。

■ ガントチャートのセルに予定工数追記

| | | | | | | 月 | 9 | | | | | | | | | | | |
|---|---|---|---|---|---|---|---|---|---|---|---|---|---|---|---|---|---|---|
| | | | | | | 日 | 1 | 2 | 3 | 4 | 5 | 6 | 7 | 8 | 9 | 10 | 11 | 12 |
| 担当者 | 機能名 | 作業内容 | 見積工数 | 予定済工数 | CHK | | 金 | 土 | 日 | 月 | 火 | 水 | 木 | 金 | 土 | 日 | 月 | 火 |
| A氏 | Webシステムの基本機能 | 設計 | 4 | 4 | OK | | 1 | - | - | 1 | 1 | 1 | | | - | - | | |
| A氏 | Webシステムの基本機能 | PG | 4 | 2 | -2 | | - | - | | | | | 1 | 1 | - | - | | |
| | | | | | | | | | | | | | | | - | - | | |

以下にて、バッチの基本機能のガントチャートの設定が完了しました。

■ ガントチャートに基本機能の追記完了

| | | | | | | 月 | 9 | | | | | | | | | | | |
|---|---|---|---|---|---|---|---|---|---|---|---|---|---|---|---|---|---|---|
| | | | | | | 日 | 1 | 2 | 3 | 4 | 5 | 6 | 7 | 8 | 9 | 10 | 11 | 12 |
| 担当者 | 機能名 | 作業内容 | 見積工数 | 予定済工数 | CHK | | 金 | 土 | 日 | 月 | 火 | 水 | 木 | 金 | 土 | 日 | 月 | 火 |
| A氏 | Webシステムの基本機能 | 設計 | 4 | 4 | OK | | 1 | - | - | 1 | 1 | 1 | | | - | - | | |
| A氏 | Webシステムの基本機能 | PG | 4 | 4 | OK | | - | - | | | | | 1 | 1 | - | - | 1 | 1 |
| | | | | | | | | | | | | | | | - | - | | |

**　ガントチャートはできるかぎり現状を捉えておくことが大切なため、変更が簡単にできることが大切**です。セル形式でインライン編集が可能な場合、予定変更をする際に、コピーアンドペーストで時間をかけずに作業ができます。たとえば、仮にA氏に休みの予定があった場合など、簡単に変更ができます。逆に変更のために、別途入力画面で編集する形式のガントチャートツールの場合、変更作業がとても大変になり、予定変更がされなくなりリスクが高まります。

■ガントチャートに休みの追記

| 担当者 | 機能名 | 作業内容 | 見積工数 | 予定済工数 | CHK | 1 | 2 | 3 | 4 | 5 | 6 | 7 | 8 | 9 | 10 | 11 | 12 | 13 | 14 |
|---|---|---|---|---|---|---|---|---|---|---|---|---|---|---|---|---|---|---|---|
| | | | | | | 金 | 土 | 日 | 月 | 火 | 水 | 木 | 金 | 土 | 日 | 月 | 火 | 水 | 木 |
| A氏 | 休暇 | 休暇 | 2 | 2 | OK | 1 | - | - | 1 | | | | | - | - | | | | |
| A氏 | Webシステムの基本機能 | 設計 | 4 | 4 | OK | | - | - | | 1 | 1 | 1 | 1 | - | - | | | | |
| A氏 | Webシステムの基本機能 | PG | 4 | 4 | OK | | - | - | | | | | | - | - | 1 | 1 | 1 | 1 |

（月：9）

　それでは次項にて、ガントチャートの全体の項目を示します。本書では、全体を1度に表示できないため、1ヶ月分ずつ示します。雰囲気だけでも伝わればと思います。

まずは1ヶ月目の予定です。仮で2023年の9月から開始しています。

■ ガントチャートに1ヶ月目分を追記

| 担当者 | 機能名 | 作業内容 | 見積工数 | 予定済工数 | CHK | 1金 | 2土 | 3日 | 4月 | 5火 | 6水 | 7木 | 8金 | 9土 | 10日 | 11月 | 12火 | 13水 | 14木 | 15金 | 16土 | 17日 | 18月 | 19火 | 20水 | 21木 | 22金 | 23土 | 24日 | 25月 | 26火 | 27水 | 28木 | 29金 | 30土 |
|---|---|---|---|---|---|---|---|---|---|---|---|---|---|---|---|---|---|---|---|---|---|---|---|---|---|---|---|---|---|---|---|---|---|---|
| A氏 | Webシステムの基本機能 | 設計 | 4 | 4 | OK | 1 | - | - | 1 | 1 | 1 | | | | | | | | | - | - | | | | | | | - | - | | | | | | - |
| A氏 | Webシステムの基本機能 | PG | 4 | 4 | OK | | - | - | | | | 1 | 1 | - | - | 1 | 1 | | | - | - | | | | | | | - | - | | | | | | - |
| A氏 | ログイン画面 | 設計 | 2 | 2 | OK | | - | - | | | | | | - | - | | | 1 | 1 | - | - | | | | | | | - | - | | | | | | - |
| A氏 | ログアウト画面 | 設計 | 1 | 1 | OK | | - | - | | | | | | - | - | | | | | - | - | 1 | | | | | | - | - | | | | | | - |
| A氏 | ホーム画面 | 設計 | 1.5 | 1.5 | OK | | - | - | | | | | | - | - | | | | | - | - | | | 1 | 1 | | | - | - | | | | | | - |
| A氏 | 売上買収画面 | 設計 | 3 | 3 | OK | | - | - | | | | | | - | - | | | | | - | - | | | | | 1 | | - | - | 1 | | | | | - |
| A氏 | ログイン画面 | PG | 2 | 2 | OK | | - | - | | | | | | - | - | | | | | - | - | | | | | | | - | - | | 1 | 1 | 1 | 1 | - |
| A氏 | ログアウト画面 | PG | 1.5 | 1.5 | OK | | - | - | | | | | | - | - | | | | | - | - | | | | | | | - | - | | | | | | - |
| A氏 | ホーム画面 | PG | 2 | 2 | OK | | - | - | | | | | | - | - | | | | | - | - | | | | | | | - | - | | | | | | - |
| A氏 | 売上買収画面 | PG | 5 | 5 | OK | | - | - | | | | | | - | - | | | | | - | - | | | | | | | - | - | | | | | | - |
| B氏 | バッチシステムの基本機能 | 設計 | 3 | 3 | OK | 1 | - | - | 1 | 1 | | | | - | - | | | | | - | - | | | | | | | - | - | | | | | | - |
| B氏 | バッチシステムの基本機能 | PG | 3 | 3 | OK | | - | - | | | 1 | 1 | 1 | - | - | | | | | - | - | | | | | | | - | - | | | | | | - |
| B氏 | 自動加工バッチ | 設計 | 4 | 4 | OK | | - | - | | | | | | - | - | | | | | - | - | | | | | | | - | - | | | | | | - |
| B氏 | 自動加工バッチ | PG | 6 | 6 | OK | | - | - | | | | | | - | - | 1 | | | | - | - | 1 | 1 | 1 | 1 | | 1 | - | - | | | | | | - |
| B氏 | ログイン画面 | UT設計 | 1.5 | 1.5 | OK | | - | - | | | | | | - | - | | | | | - | - | | | | | | | - | - | 1 | 1 | | | | - |
| B氏 | ログアウト画面 | UT設計 | 1 | 1 | OK | | - | - | | | | | | - | - | | | | | - | - | | | | | | | - | - | | 1 | 1 | | | - |
| B氏 | ホーム画面 | UT設計 | 1.5 | 1.5 | OK | | - | - | | | | | | - | - | | | | | - | - | | | | | | | - | - | 1 | 1 | | | | - |
| B氏 | 売上買収画面 | UT設計 | 2.5 | 2.5 | OK | | - | - | | | | | | - | - | | | | | - | - | | | | | | | - | - | | | | | | - |
| B氏 | 自動加工バッチ | UT設計 | 3 | 3 | OK | | - | - | | | | | | - | - | | | | | - | - | | | | | | | - | - | | | | | | - |
| C氏 | ログイン画面 | UT実施 | 2 | 2 | OK | | - | - | | | | | | - | - | | | | | - | - | | | | | | | - | - | | | | | | - |
| C氏 | ログアウト画面 | UT実施 | 1 | 1 | OK | | - | - | | | | | | - | - | | | | | - | - | | | | | | | - | - | | | | | | - |
| C氏 | ホーム画面 | UT実施 | 2 | 2 | OK | | - | - | | | | | | - | - | | | | | - | - | | | | | | | - | - | | | | | | - |
| C氏 | 売上買収画面 | UT実施 | 4 | 4 | OK | | - | - | | | | | | - | - | | | | | - | - | | | | | | | - | - | | | | | | - |
| C氏 | 自動加工バッチ | UT実施 | 5 | 5 | OK | | - | - | | | | | | - | - | | | | | - | - | | | | | | | - | - | | | | | | - |
| A氏 | 単体テスト現場対応1 | 設計 | 2 | 2 | OK | | - | - | | | | | | - | - | | | | | - | - | | | | | | | - | - | | | | | | - |
| A氏 | 単体テスト現場対応1 | PG | 2 | 2 | OK | | - | - | | | | | | - | - | | | | | - | - | | | | | | | - | - | | | | | | - |
| C氏 | 単体テスト現場対応1 | UT設計 | 2 | 2 | OK | | - | - | | | | | | - | - | | | | | - | - | | | | | | | - | - | | | | | | - |
| C氏 | 単体テスト現場対応1 | UT実施 | 3 | 3 | OK | | - | - | | | | | | - | - | | | | | - | - | | | | | | | - | - | | | | | | - |
| B氏 | 単体テスト現場対応2 | 設計 | 1.5 | 1.5 | OK | | - | - | | | | | | - | - | | | | | - | - | | | | | | | - | - | | | | | | - |
| B氏 | 単体テスト現場対応2 | PG | 2 | 2 | OK | | - | - | | | | | | - | - | | | | | - | - | | | | | | | - | - | | | | | | - |
| B氏 | 単体テスト現場対応2 | UT設計 | 1 | 1 | OK | | - | - | | | | | | - | - | | | | | - | - | | | | | | | - | - | | | | | | - |
| B氏 | 単体テスト現場対応2 | UT実施 | 1.5 | 1.5 | OK | | - | - | | | | | | - | - | | | | | - | - | | | | | | | - | - | | | | | | - |
| B氏 | 移行 | 移行準備 | 4 | 4 | OK | | - | - | | | | | | - | - | | | | | - | - | | | | | | | - | - | | | | | | - |
| B氏 | 移行 | 移行作業 | 4 | 4 | OK | | - | - | | | | | | - | - | | | | | - | - | | | | | | | - | - | | | | | | - |
| A氏 | 内部結合テスト | 内部IT設計 | 3 | 3 | OK | | - | - | | | | | | - | - | | | | | - | - | | | | | | | - | - | | | | | | - |
| A氏 | 内部結合テスト | 内部IT実施 | 3 | 3 | OK | | - | - | | | | | | - | - | | | | | - | - | | | | | | | - | - | | | | | | - |
| A氏 | 結合テスト現場対応 | 設計 | 1.5 | 1.5 | OK | | - | - | | | | | | - | - | | | | | - | - | | | | | | | - | - | | | | | | - |
| A氏 | 結合テスト現場対応 | PG | 3 | 3 | OK | | - | - | | | | | | - | - | | | | | - | - | | | | | | | - | - | | | | | | - |
| A氏 | 結合テスト現場対応 | UT設計 | 1.5 | 1.5 | OK | | - | - | | | | | | - | - | | | | | - | - | | | | | | | - | - | | | | | | - |
| A氏 | 結合テスト現場対応 | UT実施 | 2.5 | 2.5 | OK | | - | - | | | | | | - | - | | | | | - | - | | | | | | | - | - | | | | | | - |
| A氏 | 結合テスト現場対応 | 内部IT設計 | 0 | 0 | OK | | - | - | | | | | | - | - | | | | | - | - | | | | | | | - | - | | | | | | - |
| A氏 | 結合テスト現場対応 | 内部IT実施 | 1 | 1 | OK | | - | - | | | | | | - | - | | | | | - | - | | | | | | | - | - | | | | | | - |
| B氏 | 自動加工バッチ | 外部IT設計 | 1.5 | 1.5 | OK | | - | - | | | | | | - | - | | | | | - | - | | | | | | | - | - | | | | | | - |
| B氏 | 自動加工バッチ | 外部IT実施 | 2.5 | 2.5 | OK | | - | - | | | | | | - | - | | | | | - | - | | | | | | | - | - | | | | | | - |
| B氏 | 総合テスト | ST設計 | 1 | 1 | OK | | - | - | | | | | | - | - | | | | | - | - | | | | | | | - | - | | | | | | - |
| B氏 | 総合テスト | ST実施 | 3 | 3 | OK | | - | - | | | | | | - | - | | | | | - | - | | | | | | | - | - | | | | | | - |
| D氏 | インフラ構築 | インフラ設計 | 5 | 5 | OK | | - | - | | | | | | - | - | | | | | - | - | | | | | | | - | - | | | | | | - |
| D氏 | インフラ構築 | インフラ作業 | 15 | 15 | OK | | - | - | | | | | | - | - | | | | | - | - | | | | | | | - | - | | | | | | - |
| B氏 | 総合テスト現場対応 | 設計 | 1.5 | 1.5 | OK | | - | - | | | | | | - | - | | | | | - | - | | | | | | | - | - | | | | | | - |
| B氏 | 総合テスト現場対応 | PG | 3 | 3 | OK | | - | - | | | | | | - | - | | | | | - | - | | | | | | | - | - | | | | | | - |
| B氏 | 総合テスト現場対応 | UT設計 | 1.5 | 1.5 | OK | | - | - | | | | | | - | - | | | | | - | - | | | | | | | - | - | | | | | | - |
| B氏 | 総合テスト現場対応 | UT実施 | 2.5 | 2.5 | OK | | - | - | | | | | | - | - | | | | | - | - | | | | | | | - | - | | | | | | - |
| B氏 | 総合テスト現場対応 | ST設計 | 0 | 0 | OK | | - | - | | | | | | - | - | | | | | - | - | | | | | | | - | - | | | | | | - |
| B氏 | 総合テスト現場対応 | ST実施 | 1 | 1 | OK | | - | - | | | | | | - | - | | | | | - | - | | | | | | | - | - | | | | | | - |
| B氏 | 移行 | 移行作業 | 2 | 2 | OK | | - | - | | | | | | - | - | | | | | - | - | | | | | | | - | - | | | | | | - |
| D氏 | 本番リリース | インフラ作業 | 4 | 4 | OK | | - | - | | | | | | - | - | | | | | - | - | | | | | | | - | - | | | | | | - |
| E氏 | プロジェクト推進・管理 | 管理 | 60 | 60 | OK | 1 | - | - | 1 | 1 | 1 | 1 | 1 | - | - | 1 | 1 | 1 | 1 | - | - | 1 | 1 | 1 | 1 | 1 | | - | - | 1 | 1 | 1 | 1 | 1 | - |

PMの管理工数も、最終行に入力しています。管理工数は山積み資料の参画期間を基に入力します。

2ヶ月目の予定です。

## ■ガントチャートに2ヶ月目分を追記

| 担当者 | 機能名 | 作業内容 | 実績工数 | 予定達工数 | CHK | 日程（10月 1〜31日） |
|---|---|---|---|---|---|---|
| A氏 | Webシステムの基本機能 | 設計 | 4 | 4 | OK | |
| A氏 | Webシステムの基本機能 | PG | 4 | 4 | OK | |
| A氏 | ログイン画面 | 設計 | 2 | 2 | OK | |
| A氏 | ログアウト画面 | 設計 | 1 | 1 | OK | |
| A氏 | ホーム画面 | 設計 | 1.5 | 1.5 | OK | |
| A氏 | 売上閲覧画面 | 設計 | 3 | 3 | OK | |
| A氏 | ログイン画面 | PG | 5 | 5 | OK | |
| A氏 | ログアウト画面 | PG | 1.5 | 1.5 | OK | |
| A氏 | ホーム画面 | PG | 2 | 2 | OK | |
| A氏 | 売上閲覧画面 | PG | 5 | 5 | OK | |
| B氏 | バッチシステムの基本機能 | 設計 | 3 | 3 | OK | |
| B氏 | バッチシステムの基本機能 | PG | 3 | 3 | OK | |
| B氏 | 自動加工バッチ | 設計 | 4 | 4 | OK | |
| B氏 | 自動加工バッチ | PG | 6 | 6 | OK | |
| B氏 | ログイン画面 | UT設計 | 1.5 | 1.5 | OK | |
| B氏 | ログアウト画面 | UT設計 | 1 | 1 | OK | |
| B氏 | ホーム画面 | UT設計 | 1.5 | 1.5 | OK | |
| B氏 | 売上閲覧画面 | UT設計 | 2.5 | 2.5 | OK | |
| B氏 | 自動加工バッチ | UT設計 | 3 | 3 | OK | |
| C氏 | ログイン画面 | UT実施 | 2 | 2 | OK | |
| C氏 | ログアウト画面 | UT実施 | 1 | 1 | OK | |
| C氏 | ホーム画面 | UT実施 | 2 | 2 | OK | |
| C氏 | 売上閲覧画面 | UT実施 | 4 | 4 | OK | |
| C氏 | 自動加工バッチ | UT実施 | 4 | 4 | OK | |
| A氏 | 単体テスト消込対応1 | 設計 | 2 | 2 | OK | |
| A氏 | 単体テスト消込対応1 | PG | 4 | 4 | OK | |
| C氏 | 単体テスト消込対応1 | UT設計 | 2 | 2 | OK | |
| C氏 | 単体テスト消込対応1 | UT実施 | 3 | 3 | OK | |
| B氏 | 単体テスト消込対応2 | 設計 | 1.5 | 1.5 | OK | |
| B氏 | 単体テスト消込対応2 | PG | 3 | 3 | OK | |
| B氏 | 単体テスト消込対応2 | UT設計 | 1.5 | 1.5 | OK | |
| B氏 | 単体テスト消込対応2 | UT実施 | 1.5 | 1.5 | OK | |
| B氏 | 移行 | 移行準備 | 4 | 4 | OK | |
| B氏 | 移行 | 移行作業 | 4 | 4 | OK | |
| A氏 | 内部結合テスト | 内部IT設計 | 3 | 3 | OK | |
| A氏 | 内部結合テスト | 内部IT実施 | 3 | 3 | OK | |
| A氏 | 結合テスト消込対応 | 設計 | 1.5 | 1.5 | OK | |
| A氏 | 結合テスト消込対応 | PG | 3 | 3 | OK | |
| A氏 | 結合テスト消込対応 | UT設計 | 1.5 | 1.5 | OK | |
| A氏 | 結合テスト消込対応 | UT実施 | 2.5 | 2.5 | OK | |
| A氏 | 結合テスト消込対応 | 内部IT設計 | 0 | 0 | OK | |
| A氏 | 結合テスト消込対応 | 内部IT実施 | 0 | 0 | OK | |
| B氏 | 自動加工バッチ | 外部IT設計 | 1.5 | 1.5 | OK | |
| B氏 | 自動加工バッチ | 外部IT実施 | 2.5 | 2.5 | OK | |
| B氏 | 総合テスト | ST設計 | 1 | 1 | OK | |
| B氏 | 総合テスト | ST実施 | 3 | 3 | OK | |
| D氏 | インフラ構築 | インフラ設計 | 5 | 5 | OK | |
| D氏 | インフラ構築 | インフラ作業 | 16 | 16 | OK | |
| B氏 | 総合テスト消込対応 | 設計 | 1.5 | 1.5 | OK | |
| B氏 | 総合テスト消込対応 | PG | 3 | 3 | OK | |
| B氏 | 総合テスト消込対応 | UT設計 | 1.5 | 1.5 | OK | |
| B氏 | 総合テスト消込対応 | UT実施 | 2.5 | 2.5 | OK | |
| B氏 | 総合テスト消込対応 | ST設計 | 0 | 0 | OK | |
| B氏 | 総合テスト消込対応 | ST実施 | 1 | 1 | OK | |
| | 移行 | 移行作業 | 2 | 2 | OK | |
| D氏 | 本番リリース | インフラ作業 | 4 | 4 | OK | |
| E氏 | プロジェクト推進・管理 | 管理 | 60 | 60 | OK | |

　基本的に内部スケジュールに合わせてガントチャートを作成してい
きますが、内部スケジュールも詳細なスケジューリングをしているわ
けではないので、予定作成時に工程の順番が前後することがあります
が問題ありません。

3ヶ月目の予定です。

**■ガントチャートに3ヶ月目分を追記**

| 担当者 | 機能名 | 作業内容 | 見積工数 | 予定消工数 | CHK | 1水 | 2木 | 3金 | 4土 | 5日 | 6月 | 7火 | 8水 | 9木 | 10金 | 11土 | 12日 | 13月 | 14火 | 15水 | 16木 | 17金 | 18土 | 19日 | 20月 | 21火 | 22水 | 23木 | 24金 | 25土 | 26日 | 27月 | 28火 | 29水 | 30木 |
|---|---|---|---|---|---|---|---|---|---|---|---|---|---|---|---|---|---|---|---|---|---|---|---|---|---|---|---|---|---|---|---|---|---|---|---|
| A氏 | Webシステムの基本機能 | 設計 | 4 | 4 | OK | | | - | - | - | | | | | | | | | | | | | - | | | | | | | | | | | | | - | - |
| A氏 | Webシステムの基本機能 | PG | 4 | 4 | OK | | | - | - | - | | | | | | | | | | | | | - | | | | | | | | | | | | | - | - |
| A氏 | ログイン画面 | 設計 | 2 | 2 | OK | | | - | - | - | | | | | | | | | | | | | - | | | | | | | | | | | | | - | - |
| A氏 | ログアウト画面 | 設計 | 1 | 1 | OK | | | - | - | - | | | | | | | | | | | | | - | | | | | | | | | | | | | - | - |
| A氏 | ホーム画面 | 設計 | 1.5 | 1.5 | OK | | | - | - | - | | | | | | | | | | | | | - | | | | | | | | | | | | | - | - |
| A氏 | 売上貢変画面 | 設計 | 3 | 3 | OK | | | - | - | - | | | | | | | | | | | | | - | | | | | | | | | | | | | - | - |
| A氏 | ログイン画面 | PG | 5 | 5 | OK | | | - | - | - | | | | | | | | | | | | | - | | | | | | | | | | | | | - | - |
| A氏 | ログアウト画面 | PG | 1.5 | 1.5 | OK | | | - | - | - | | | | | | | | | | | | | - | | | | | | | | | | | | | - | - |
| A氏 | ホーム画面 | PG | 2 | 2 | OK | | | - | - | - | | | | | | | | | | | | | - | | | | | | | | | | | | | - | - |
| A氏 | 売上貢変画面 | PG | 5 | 5 | OK | | | - | - | - | | | | | | | | | | | | | - | | | | | | | | | | | | | - | - |
| B氏 | バッチシステムの基本機能 | 設計 | 3 | 3 | OK | | | - | - | - | | | | | | | | | | | | | - | | | | | | | | | | | | | - | - |
| B氏 | バッチシステムの基本機能 | PG | 3 | 3 | OK | | | - | - | - | | | | | | | | | | | | | - | | | | | | | | | | | | | - | - |
| B氏 | 自動加工バッチ | 設計 | 4 | 4 | OK | | | - | - | - | | | | | | | | | | | | | - | | | | | | | | | | | | | - | - |
| B氏 | 自動加工バッチ | PG | 6 | 6 | OK | | | - | - | - | | | | | | | | | | | | | - | | | | | | | | | | | | | - | - |
| B氏 | ログイン画面 | UT設計 | 1.5 | 1.5 | OK | | | - | - | - | | | | | | | | | | | | | - | | | | | | | | | | | | | - | - |
| B氏 | ログアウト画面 | UT設計 | 1 | 1 | OK | | | - | - | - | | | | | | | | | | | | | - | | | | | | | | | | | | | - | - |
| B氏 | ホーム画面 | UT設計 | 1.5 | 1.5 | OK | | | - | - | - | | | | | | | | | | | | | - | | | | | | | | | | | | | - | - |
| B氏 | 売上貢変画面 | UT設計 | 2.5 | 2.5 | OK | | | - | - | - | | | | | | | | | | | | | - | | | | | | | | | | | | | - | - |
| B氏 | 自動加工バッチ | UT設計 | 3 | 3 | OK | | | - | - | - | | | | | | | | | | | | | - | | | | | | | | | | | | | - | - |
| C氏 | ログイン画面 | UT実施 | 2 | 2 | OK | | | - | - | - | | | | | | | | | | | | | - | | | | | | | | | | | | | - | - |
| C氏 | ログアウト画面 | UT実施 | 1 | 1 | OK | | | - | - | - | | | | | | | | | | | | | - | | | | | | | | | | | | | - | - |
| C氏 | ホーム画面 | UT実施 | 2 | 2 | OK | | | - | - | - | | | | | | | | | | | | | - | | | | | | | | | | | | | - | - |
| C氏 | 売上貢変画面 | UT実施 | 4 | 4 | OK | | | - | - | - | | | | | | | | | | | | | - | | | | | | | | | | | | | - | - |
| C氏 | 自動加工バッチ | UT実施 | 5 | 5 | OK | | | - | - | - | | | | | | | | | | | | | - | | | | | | | | | | | | | - | - |
| A氏 | 結合テスト識題対応1 | 設計 | 2 | 2 | OK | | | - | - | - | | | | | | | | | | | | | - | | | | | | | | | | | | | - | - |
| A氏 | 結合テスト識題対応1 | PG | 4 | 4 | OK | | | - | - | - | | | | | | | | | | | | | - | | | | | | | | | | | | | - | - |
| C氏 | 結合テスト識題対応1 | UT設計 | 2 | 2 | OK | | | - | - | - | | | | | | | | | | | | | - | | | | | | | | | | | | | - | - |
| C氏 | 結合テスト識題対応1 | UT実施 | 3 | 3 | OK | | | - | - | - | | | | | | | | | | | | | - | | | | | | | | | | | | | - | - |
| B氏 | 結合テスト識題対応2 | 設計 | 1.5 | 1.5 | OK | | | - | - | - | | | | | | | | | | | | | - | | | | | | | | | | | | | - | - |
| B氏 | 結合テスト識題対応2 | PG | 2 | 2 | OK | | | - | - | - | | | | | | | | | | | | | - | | | | | | | | | | | | | - | - |
| B氏 | 結合テスト識題対応2 | UT設計 | 1 | 1 | OK | | | - | - | - | | | | | | | | | | | | | - | | | | | | | | | | | | | - | - |
| B氏 | 結合テスト識題対応2 | UT実施 | 1.5 | 1.5 | OK | | | - | - | - | | | | | | | | | | | | | - | | | | | | | | | | | | | - | - |
| B氏 | 移行 | 移行準備 | 4 | 4 | OK | | | - | - | - | | | | | | | | | | | | | - | | | | | | | | | | | | | - | - |
| B氏 | 移行 | 移行作業 | 4 | 4 | OK | | | - | - | - | | | | | | | | | | | | | - | | | | | | | | | | | | | - | - |
| A氏 | 内部総合テスト | 内部IT設計 | 3 | 3 | OK | | | - | - | - | | | | | | | | | | | | | - | | | | | | | | | | | | | - | - |
| A氏 | 内部総合テスト | 内部IT実施 | 3 | 3 | OK | 1 | | | | | | | | | | | | | | | | | - | | | | | | | | | | | | | - | - |
| A氏 | 結合テスト識題対応 | 設計 | 1.5 | 1.5 | OK | | 1 | - | - | - | 1 | | | | | | | | | | | | - | | | | | | | | | | | | | - | - |
| A氏 | 結合テスト識題対応 | PG | 3 | 3 | OK | | | - | - | - | | 1 | 1 | 1 | | | | | | | | | - | | | | | | | | | | | | | - | - |
| A氏 | 結合テスト識題対応 | UT設計 | 1.5 | 1.5 | OK | | | - | - | - | | | 1 | 1 | | | | | | | | | - | | | | | | | | | | | | | - | - |
| A氏 | 結合テスト識題対応 | UT実施 | 2.5 | 2.5 | OK | | | - | - | - | | | | | | | | | 1 | 1 | 1 | | - | | | | | | | | | | | | | - | - |
| A氏 | 結合テスト識題対応 | 内部IT設計 | 0 | 0 | OK | | | - | - | - | | | | | | | | | | | | | - | | | | | | | | | | | | | - | - |
| A氏 | 結合テスト識題対応 | 内部IT実施 | 1 | 1 | OK | | | - | - | - | | | | | | | | | | | | 1 | - | | | | | | | | | | | | | - | - |
| B氏 | 自動加工バッチ | 外部IT設計 | 1.5 | 1.5 | OK | | | - | - | - | | | | | | | | | | | | | - | | | | | | | | | | | | | - | - |
| B氏 | 自動加工バッチ | 外部IT実施 | 2.5 | 2.5 | OK | | 1 | - | - | - | 1 | 1 | | | | | | | | | | | - | | | | | | | | | | | | | - | - |
| B氏 | 結合テスト | ST設計 | 1 | 1 | OK | 1 | | | | | | | | | | | | | | | | | - | | | | | | | | | | | | | - | - |
| B氏 | 結合テスト | ST実施 | 3 | 3 | OK | | 1 | - | - | - | 1 | 1 | 1 | | | | | | | | | | - | | | | | | | | | | | | | - | - |
| D氏 | インフラ構築 | インフラ設計 | 5 | 5 | OK | | | - | - | - | | | | | | | | | | | | | - | | | | | | | | | | | | | - | - |
| D氏 | インフラ構築 | インフラ作業 | 15 | 15 | OK | | | - | - | - | | | | | | | | | | | | | - | | | | | | | | | | | | | - | - |
| B氏 | 結合テスト識題対応 | 設計 | 1.5 | 1.5 | OK | | | - | - | - | | | 1 | | 1 | | | | | | | | - | | | | | | | | | | | | | - | - |
| B氏 | 結合テスト識題対応 | PG | 3 | 3 | OK | | | - | - | - | | | | | | | | | 1 | 1 | 1 | | - | | | | | | | | | | | | | - | - |
| B氏 | 結合テスト識題対応 | UT設計 | 1.5 | 1.5 | OK | | | - | - | - | | | | | | | | | | | 1 | | - | 1 | | | | | | | | | | | | - | - |
| B氏 | 結合テスト識題対応 | UT実施 | 2.5 | 2.5 | OK | | | - | - | - | | | | | | | | | | | | | - | 1 | 1 | 1 | | | | | | | | | | | - | - |
| B氏 | 結合テスト識題対応 | ST設計 | 0 | 0 | OK | | | - | - | - | | | | | | | | | | | | | - | | | | | | | | | | | | | - | - |
| B氏 | 結合テスト識題対応 | ST実施 | 1 | 1 | OK | | | - | - | - | | | | | | | | | | | | | - | | | | | | 1 | | | | | | | - | - |
| B氏 | 移行 | 移行作業 | 2 | 2 | OK | | | - | - | - | | | | | | | | | | | | | - | | | | | | | | | | | | | - | - |
| D氏 | 本番リリース | インフラ作業 | 4 | 4 | OK | | | - | - | - | | | | | | | | | | | | | - | | | | | | | | | | | | | - | - |
| E氏 | プロジェクト推進・管理 | 管理 | 66 | 66 | OK | 1 | 1 | - | - | - | 1 | 1 | 1 | 1 | 1 | | 1 | 1 | 1 | 1 | 1 | 1 | - | 1 | 1 | 1 | 1 | 1 | - | 1 | 1 | 1 | 1 | 1 | - | - |

3ヶ月目の後半にはスケジュール上は作業が完了しています。内部用スケジュールでは各月にバッファを追加していますが、スケジュール上ではバッファを後半に集中させています。想定外の問題はできるかぎり先に発見したいためです。

なにか問題があれば、スケジュールを変更すればよいだけです。

4ヶ目の予定です。2週目に本番リリース作業を予定しています。

■ ガントチャートに4ヶ月目分を追記

| 担当者 | 機能名 | 作業内容 | 見積工数 | 予定設計工数 | CHK | 1 | 2 | 3 | 4 | 5 | 6 | 7 | 8 | 9 | 10 | 11 | 12 | 13 | 14 | 15 | 16 | 17 | 18 | 19 | 20 | 21 | 22 | 23 | 24 | 25 | 26 | 27 | 28 | 29 | 30 | 31 |
|---|---|---|---|---|---|---|---|---|---|---|---|---|---|---|---|---|---|---|---|---|---|---|---|---|---|---|---|---|---|---|---|---|---|---|---|---|
| | | | | | | 金 | 土 | 日 | 月 | 火 | 水 | 木 | 金 | 土 | 日 | 月 | 火 | 水 | 木 | 金 | 土 | 日 | 月 | 火 | 水 | 木 | 金 | 土 | 日 | 月 | 火 | 水 | 木 | 金 | 土 | 日 |
| A氏 | Webシステムの基本機能 | 設計 | 4 | 4 | OK | | | | | | | | | | | | | | | | | | | | | | | | | | | | | | | |
| A氏 | Webシステムの基本機能 | PG | 4 | 4 | OK | | | | | | | | | | | | | | | | | | | | | | | | | | | | | | | |
| A氏 | ログイン画面 | 設計 | 2 | 2 | OK | | | | | | | | | | | | | | | | | | | | | | | | | | | | | | | |
| A氏 | ログアウト画面 | 設計 | 1 | 1 | OK | | | | | | | | | | | | | | | | | | | | | | | | | | | | | | | |
| A氏 | ホーム画面 | 設計 | 1.5 | 1.5 | OK | | | | | | | | | | | | | | | | | | | | | | | | | | | | | | | |
| A氏 | 売上買収画面 | 設計 | 3 | 3 | OK | | | | | | | | | | | | | | | | | | | | | | | | | | | | | | | |
| A氏 | ログイン画面 | PG | 5 | 5 | OK | | | | | | | | | | | | | | | | | | | | | | | | | | | | | | | |
| A氏 | ログアウト画面 | PG | 1.5 | 1.5 | OK | | | | | | | | | | | | | | | | | | | | | | | | | | | | | | | |
| A氏 | ホーム画面 | PG | 2 | 2 | OK | | | | | | | | | | | | | | | | | | | | | | | | | | | | | | | |
| A氏 | 売上買収画面 | PG | 5 | 5 | OK | | | | | | | | | | | | | | | | | | | | | | | | | | | | | | | |
| B氏 | バッチシステムの基本機能 | 設計 | 3 | 3 | OK | | | | | | | | | | | | | | | | | | | | | | | | | | | | | | | |
| B氏 | バッチシステムの基本機能 | PG | 3 | 3 | OK | | | | | | | | | | | | | | | | | | | | | | | | | | | | | | | |
| B氏 | 自動加工バッチ | 設計 | 4 | 4 | OK | | | | | | | | | | | | | | | | | | | | | | | | | | | | | | | |
| B氏 | 自動加工バッチ | PG | 6 | 6 | OK | | | | | | | | | | | | | | | | | | | | | | | | | | | | | | | |
| B氏 | ログイン画面 | UT設計 | 1.5 | 1.5 | OK | | | | | | | | | | | | | | | | | | | | | | | | | | | | | | | |
| B氏 | ログアウト画面 | UT設計 | 1 | 1 | OK | | | | | | | | | | | | | | | | | | | | | | | | | | | | | | | |
| B氏 | ホーム画面 | UT設計 | 1.5 | 1.5 | OK | | | | | | | | | | | | | | | | | | | | | | | | | | | | | | | |
| B氏 | 売上買収画面 | UT設計 | 2.5 | 2.5 | OK | | | | | | | | | | | | | | | | | | | | | | | | | | | | | | | |
| B氏 | 自動加工バッチ | UT設計 | 3 | 3 | OK | | | | | | | | | | | | | | | | | | | | | | | | | | | | | | | |
| B氏 | ログイン画面 | UT実施 | 2 | 2 | OK | | | | | | | | | | | | | | | | | | | | | | | | | | | | | | | |
| C氏 | ログアウト画面 | UT実施 | 1 | 1 | OK | | | | | | | | | | | | | | | | | | | | | | | | | | | | | | | |
| C氏 | ホーム画面 | UT実施 | 2 | 2 | OK | | | | | | | | | | | | | | | | | | | | | | | | | | | | | | | |
| C氏 | 売上買収画面 | UT実施 | 4 | 4 | OK | | | | | | | | | | | | | | | | | | | | | | | | | | | | | | | |
| C氏 | 自動加工バッチ | UT実施 | 5 | 5 | OK | | | | | | | | | | | | | | | | | | | | | | | | | | | | | | | |
| A氏 | 業務テスト準備対応1 | 設計 | 2 | 2 | OK | | | | | | | | | | | | | | | | | | | | | | | | | | | | | | | |
| B氏 | 業務テスト準備対応1 | PG | 4 | 4 | OK | | | | | | | | | | | | | | | | | | | | | | | | | | | | | | | |
| C氏 | 業務テスト準備対応1 | UT設計 | 1 | 1 | OK | | | | | | | | | | | | | | | | | | | | | | | | | | | | | | | |
| C氏 | 業務テスト準備対応1 | UT実施 | 3 | 3 | OK | | | | | | | | | | | | | | | | | | | | | | | | | | | | | | | |
| A氏 | 業務テスト準備対応2 | 設計 | 1.5 | 1.5 | OK | | | | | | | | | | | | | | | | | | | | | | | | | | | | | | | |
| B氏 | 業務テスト準備対応2 | PG | 2 | 2 | OK | | | | | | | | | | | | | | | | | | | | | | | | | | | | | | | |
| C氏 | 業務テスト準備対応2 | UT設計 | 1 | 1 | OK | | | | | | | | | | | | | | | | | | | | | | | | | | | | | | | |
| C氏 | 業務テスト準備対応2 | UT実施 | 1.5 | 1.5 | OK | | | | | | | | | | | | | | | | | | | | | | | | | | | | | | | |
| B氏 | 移行 | 移行作業 | 4 | 4 | OK | | | | | | | | | | | | | | | | | | | | | | | | | | | | | | | |
| B氏 | 移行 | 移行作業 | 4 | 4 | OK | | | | | | | | | | | | | | | | | | | | | | | | | | | | | | | |
| A氏 | 内部結合テスト | 内部結合 | 3 | 3 | OK | | | | | | | | | | | | | | | | | | | | | | | | | | | | | | | |
| A氏 | 内部結合テスト | 内部結合実施 | 3 | 3 | OK | | | | | | | | | | | | | | | | | | | | | | | | | | | | | | | |
| A氏 | 総合テスト準備対応 | 設計 | 1.5 | 1.5 | OK | | | | | | | | | | | | | | | | | | | | | | | | | | | | | | | |
| A氏 | 総合テスト準備対応 | PG | 3 | 3 | OK | | | | | | | | | | | | | | | | | | | | | | | | | | | | | | | |
| A氏 | 総合テスト準備対応 | UT設計 | 1.5 | 1.5 | OK | | | | | | | | | | | | | | | | | | | | | | | | | | | | | | | |
| A氏 | 総合テスト準備対応 | UT実施 | 2.5 | 2.5 | OK | | | | | | | | | | | | | | | | | | | | | | | | | | | | | | | |
| A氏 | 総合テスト準備対応 | 内部UT設計 | 0 | 0 | OK | | | | | | | | | | | | | | | | | | | | | | | | | | | | | | | |
| A氏 | 総合テスト準備対応 | 内部UT実施 | 1 | 1 | OK | | | | | | | | | | | | | | | | | | | | | | | | | | | | | | | |
| B氏 | 自動加工バッチ | 外部UT設計 | 1.5 | 1.5 | OK | | | | | | | | | | | | | | | | | | | | | | | | | | | | | | | |
| B氏 | 自動加工バッチ | 外部UT実施 | 2.5 | 2.5 | OK | | | | | | | | | | | | | | | | | | | | | | | | | | | | | | | |
| D氏 | 総合テスト | ST設計 | 1 | 1 | OK | | | | | | | | | | | | | | | | | | | | | | | | | | | | | | | |
| D氏 | 総合テスト | ST実施 | 3 | 3 | OK | | | | | | | | | | | | | | | | | | | | | | | | | | | | | | | |
| D氏 | インフラ構築 | インフラ設計 | 6 | 6 | OK | | | | | | | | | | | | | | | | | | | | | | | | | | | | | | | |
| D氏 | インフラ構築 | インフラ作業 | 16 | 15 | OK | | | | | | | | | | | | | | | | | | | | | | | | | | | | | | | |
| D氏 | 総合テスト準備対応 | 設計 | 1.5 | 1.5 | OK | | | | | | | | | | | | | | | | | | | | | | | | | | | | | | | |
| D氏 | 総合テスト準備対応 | PG | 3 | 3 | OK | | | | | | | | | | | | | | | | | | | | | | | | | | | | | | | |
| D氏 | 総合テスト準備対応 | UT実施 | 1.5 | 1.5 | OK | | | | | | | | | | | | | | | | | | | | | | | | | | | | | | | |
| D氏 | 総合テスト準備対応 | ST設計 | 2.5 | 2.5 | OK | | | | | | | | | | | | | | | | | | | | | | | | | | | | | | | |
| D氏 | 総合テスト準備対応 | 0 | 0 | OK | | | | | | | | | | | | | | | | | | | | | | | | | | | | | | | | |
| D氏 | 総合テスト準備対応 | ST実施 | | | OK | | | | | | | | | | | | | | | | | | | | | | | | | | | | | | | |
| D氏 | 移行 | 移行作業 | 2 | 2 | OK | | | | | | | | | | | 1 | 1 | | | | | | | | | | | | | | | | | | | |
| D氏 | 本番リリース | インフラ作業 | 4 | 4 | OK | | | | | | | | | | | 1 | 1 | 1 | 1 | | | | | | | | | | | | | | | | | |
| C氏 | プロジェクト進捗・管理 | 管理 | 66 | 66 | OK | 1 | | | | | | | | | | 1 | 1 | 1 | 1 | 1 | | | | | | | | | | | | | | | | |

　4ヶ月目は、お客様が受入試験をしているため、なにか問題があった場合に対応できるように、プログラマーを1名配置しています。なにか問題があった場合にすぐに対応できるようになにも作業を割り当てていません。

##  5.2.4 ガントチャートとマスタースケジュール

　本書では、ガントチャートにマスタースケジュールのスケジュールを簡易的に記載することを推奨します。具体例は後ほど示します。

　**ガントチャート上にマスタースケジュールを記載したい理由は2点あります。1点目は、開発メンバーにお客様と約束したスケジュールを常に共有したいためです。2点目は、進捗に遅延が発生しリスケジュールが必要になった際に、どこまで遅れることができるかを判断する基準に、マスタースケジュールが使えるため**です。開発メンバーもどこまで余裕があるか把握することができるため、リカバリプランを自分で考えることができます。

　それでは、マスタースケジュールをガントチャートに追記していきます。以下のマスタースケジュールの内容をガントチャートの1行目に簡易的に追記していきます。

■マスタースケジュール（再掲）

| タスク | | N月 | N月+1 | N月+2 | N月+3 |
|---|---|---|---|---|---|
| 開発 | | | | | |
| | 設計 | | | | |
| | PG | | | | |
| | UT設計 | | | | |
| | UT実施 | | | | |
| | 内部結合テスト | | | | |
| インフラ構築 | | | | | |
| 外部結合テスト | | | | | |
| 移行 | | | | | |
| 総合テスト | | | | | |
| 受入テスト（お客様） | | | | | |
| 研修（お客様） | | | | | |
| リリース | | | | | |
| 運用 | | | | | |

ガントチャートの1行目に、管理用の行を1行追加して、マスタースケジュールのうち開発メンバーに示したい各工程の期間を1行で簡単に追記します。

■ ガントチャートにマスタースケジュールを追記

| 担当者 | 機能名 | 作業内容 | 見積工数 | 予定済工数 | CHK | 月 9 / 1 | 2 | 3 | 4 | 5 | 6 | 7 | 8 | 9 | 10 | 11 | 12 | 13 | 14 | 15 | 16 | 17 | 18 | 19 | 20 | 21 | 22 | 23 | 24 | 25 | 26 |
|---|---|---|---|---|---|---|---|---|---|---|---|---|---|---|---|---|---|---|---|---|---|---|---|---|---|---|---|---|---|---|---|
| | | | | | 日 | 金 | 土 | 日 | 月 | 火 | 水 | 木 | 金 | 土 | 日 | 月 | 火 | 水 | 木 | 金 | 土 | 日 | 月 | 火 | 水 | 木 | 金 | 土 | 日 | 月 | 火 |
| 管理 | － | － | 248 | 220.5 | -27.5 | 設計 | | | | | | | | | | | | | | | | | | | | | | | | | |
| A氏 | Webシステムの基本機能 | 設計 | 4 | 4 | OK | 1 | － | － | 1 | 1 | 1 | | | － | － | | | | | | － | － | － | | | | | | | | |
| A氏 | Webシステムの基本機能 | PG | 4 | 4 | OK | | － | － | | | | 1 | 1 | － | － | 1 | 1 | | | | － | － | － | | | | | | | | |
| A氏 | ログイン画面 | 設計 | 2 | 2 | OK | | | | | | | | | － | － | | | 1 | 1 | | － | － | － | | | | | | | | |
| A氏 | ログアウト画面 | 設計 | 1 | 1 | OK | | | | | | | | | － | － | | | | | | － | 1 | － | | | | | | | | |
| A氏 | ホーム画面 | 設計 | 1.5 | 1.5 | OK | | | | | | | | | － | － | | | | | | － | － | － | 1 | 0.5 | | | | | | |
| A氏 | 売上閲覧画面 | 設計 | 3 | 3 | OK | | | | | | | | | － | － | | | | | | － | － | － | | 0.5 | 1 | 1 | － | － | 0.5 | |
| A氏 | ログイン画面 | PG | 5 | 5 | OK | | | | | | | | | － | － | | | | | | － | － | － | | | | | | | | 1 |
| A氏 | ログアウト画面 | PG | 1.5 | 1.5 | OK | | | | | | | | | － | － | | | | | | － | － | － | | | | | | | | |
| A氏 | ホーム画面 | PG | 2 | 2 | OK | | | | | | | | | － | － | | | | | | － | － | － | | | | | | | | |
| A氏 | 売上閲覧画面 | PG | 5 | 5 | OK | | | | | | | | | － | － | | | | | | － | － | － | | | | | | | | |
| B氏 | バッチシステムの基本機能 | 設計 | 3 | 3 | OK | 1 | － | － | 1 | 1 | | | | － | － | | | | | | － | － | － | | | | | | | | |
| B氏 | バッチシステムの基本機能 | PG | 3 | 3 | OK | | － | － | | 1 | 1 | 1 | | － | － | | | | | | － | － | － | | | | | | | | |
| B氏 | 自動加工バッチ | 設計 | 4 | 4 | OK | | － | － | | | | | | － | － | 1 | 1 | 1 | 1 | | － | － | － | | | | | | | | |
| B氏 | 自動加工バッチ | PG | 6 | 6 | OK | | － | － | | | | | | － | － | | | | | 1 | － | － | － | 1 | 1 | 1 | 1 | － | － | 1 | |
| B氏 | ログイン画面 | UT設計 | 1.5 | 1.5 | OK | | － | － | | | | | | － | － | | | | | | － | － | － | | | | | | | | 1 |

　マスタースケジュールを複数行に分けて全工程を表現すると手間がかかりすぎますし、1行程度のシンプルさでないと見なくなります。

また、ガントチャートにマスタースケジュールを配置してみると、見積工程で作成したマスタースケジュールと必ずしも同じ流れにはなりません。

　理由はガントチャートを作る際は、品質や作業効率を考えてスケジューリングをしていくため、綺麗なウォーターフォールにはならないためです。

　たとえば、ガントチャートでは設計を先にすべて終わらせず、一部のPGを先に着手したり、単体テストの完了を待たずに移行の設計を着手したりします。

　ただし、マスタースケジュールの工数や期間は、見積工数を基にバッファを追加しているので、マスタースケジュールの全体的な工数や期間は、ガントチャートの全体的な工数や期間より余裕があります。

　特に、後半のタスクに対しては猶予が多くあります。

　以降にマスタースケジュールを追加したガントチャートの全体を示していきます。

まずは1ヶ月目です。9月25日までに設計工程が完了となり、以降は見切れていますがPG工程となっております。

■ ガントチャートの1ヶ月目の説明

| 担当者 | 機能名 | 作業内容 | 見積工数 | 予定済工数 | CHK | 1 金 | 2 土 | 3 日 | 4 月 | 5 火 | 6 水 | 7 木 | 8 金 | 9 土 | 10 日 | 11 月 | 12 火 | 13 水 | 14 木 | 15 金 | 16 土 | 17 日 | 18 月 | 19 火 | 20 水 | 21 木 | 22 金 | 23 土 | 24 日 | 25 月 | 26 火 | 27 水 | 28 木 | 29 金 | 30 土 |
|---|---|---|---|---|---|---|---|---|---|---|---|---|---|---|---|---|---|---|---|---|---|---|---|---|---|---|---|---|---|---|---|---|---|
| | | | 248 | 220.5 | -27.5 | | | | | | | | | | | | | | | | 設計 | | | | | | | | | | | | | |
| A氏 | Webシステムの基本機能 | 設計 | 4 | 4 | OK | 1 | - | 1 | 1 | 1 | | | | | | | | | | | - | - | | | | | | | - | - | | | | | |
| A氏 | Webシステムの基本機能 | PG | 4 | 4 | OK | - | - | | | | 1 | 1 | | - | - | | 1 | 1 | | | - | - | | | | | | | - | - | | | | | |
| A氏 | ログイン画面 | 設計 | 2 | 2 | OK | - | - | | | | | | | - | - | | | | 1 | 1 | - | - | | | | | | | - | - | | | | | |
| A氏 | ログアウト画面 | 設計 | 1 | 1 | OK | - | - | | | | | | | - | - | | | | | | - | - | 1 | | | | | | - | - | | | | | |
| A氏 | ホーム画面 | 設計 | 1.5 | 1.5 | OK | - | - | | | | | | | - | - | | | | | | - | - | | 1 | 1 | | | | - | - | | | | | |
| A氏 | 売上閲覧画面 | 設計 | 3 | 3 | OK | - | - | | | | | | | - | - | | | | | | - | - | | | | 1 | 1 | 1 | - | - | | | | | |
| A氏 | ログイン画面 | PG | 5 | 6 | OK | - | - | | | | | | | - | - | | | | | | - | - | | | | | | | - | - | 1 | 1 | 1 | 1 | |
| A氏 | ログアウト画面 | PG | 1.5 | 1.5 | OK | - | - | | | | | | | - | - | | | | | | - | - | | | | | | | - | - | | | | | |
| A氏 | ホーム画面 | PG | 2 | 2 | OK | - | - | | | | | | | - | - | | | | | | - | - | | | | | | | - | - | | | | | |
| A氏 | 売上閲覧画面 | PG | 5 | 5 | OK | - | - | | | | | | | - | - | | | | | | - | - | | | | | | | - | - | | | | | |
| B氏 | バッチシステムの基本機能 | 設計 | 3 | 3 | OK | 1 | - | 1 | 1 | | | | | - | - | | | | | | - | - | | | | | | | - | - | | | | | |
| B氏 | バッチシステムの基本機能 | PG | 3 | 3 | OK | - | - | | | 1 | 1 | 1 | | - | - | | | | | | - | - | | | | | | | - | - | | | | | |
| B氏 | 自動加工バッチ | 設計 | 4 | 4 | OK | - | - | | | | | | | - | - | 1 | 1 | 1 | 1 | | - | - | | | | | | | - | - | | | | | |
| B氏 | 自動加工バッチ | PG | 6 | 6 | OK | - | - | | | | | | | - | - | | | | | 1 | - | - | 1 | 1 | 1 | 1 | | 1 | - | - | | | | | |
| B氏 | ログイン画面 | UT設計 | 1.5 | 1.5 | OK | - | - | | | | | | | - | - | | | | | | - | - | | | | | | | - | - | 1 | 1 | | | |
| B氏 | ログアウト画面 | UT設計 | 1 | 1 | OK | - | - | | | | | | | - | - | | | | | | - | - | | | | | | | - | - | | 1 | 1 | | |
| B氏 | ホーム画面 | UT設計 | 1.5 | 1.5 | OK | - | - | | | | | | | - | - | | | | | | - | - | | | | | | | - | - | | | 1 | 1 | |
| B氏 | 売上閲覧画面 | UT設計 | 2.5 | 2.5 | OK | - | - | | | | | | | - | - | | | | | | - | - | | | | | | | - | - | | | | | |
| B氏 | 自動加工バッチ | UT設計 | 3 | 3 | OK | - | - | | | | | | | - | - | | | | | | - | - | | | | | | | - | - | | | | | |
| C氏 | ログイン画面 | UT実施 | 2 | 2 | OK | - | - | | | | | | | - | - | | | | | | - | - | | | | | | | - | - | | | | | |
| C氏 | ログアウト画面 | UT実施 | 1 | 1 | OK | - | - | | | | | | | - | - | | | | | | - | - | | | | | | | - | - | | | | | |
| C氏 | ホーム画面 | UT実施 | 2 | 2 | OK | - | - | | | | | | | - | - | | | | | | - | - | | | | | | | - | - | | | | | |
| C氏 | 売上閲覧画面 | UT実施 | 4 | 4 | OK | - | - | | | | | | | - | - | | | | | | - | - | | | | | | | - | - | | | | | |
| C氏 | 自動加工バッチ | UT実施 | 5 | 5 | OK | - | - | | | | | | | - | - | | | | | | - | - | | | | | | | - | - | | | | | |
| A氏 | 単体テスト洗場対応1 | 設計 | 2 | 2 | OK | - | - | | | | | | | - | - | | | | | | - | - | | | | | | | - | - | | | | | |
| A氏 | 単体テスト洗場対応1 | PG | 4 | 4 | OK | - | - | | | | | | | - | - | | | | | | - | - | | | | | | | - | - | | | | | |
| C氏 | 単体テスト洗場対応1 | UT設計 | 2 | 2 | OK | - | - | | | | | | | - | - | | | | | | - | - | | | | | | | - | - | | | | | |
| C氏 | 単体テスト洗場対応1 | UT実施 | 3 | 3 | OK | - | - | | | | | | | - | - | | | | | | - | - | | | | | | | - | - | | | | | |
| B氏 | 単体テスト洗場対応2 | 設計 | 1.5 | 1.5 | OK | - | - | | | | | | | - | - | | | | | | - | - | | | | | | | - | - | | | | | |
| B氏 | 単体テスト洗場対応2 | PG | 2 | 2 | OK | - | - | | | | | | | - | - | | | | | | - | - | | | | | | | - | - | | | | | |
| B氏 | 単体テスト洗場対応2 | UT設計 | 1 | 1 | OK | - | - | | | | | | | - | - | | | | | | - | - | | | | | | | - | - | | | | | |
| B氏 | 単体テスト洗場対応2 | UT実施 | 2 | 2 | OK | - | - | | | | | | | - | - | | | | | | - | - | | | | | | | - | - | | | | | |
| B氏 | 移行 | 移行準備 | 4 | 4 | OK | - | - | | | | | | | - | - | | | | | | - | - | | | | | | | - | - | | | | | |
| B氏 | 移行 | 移行作業 | 4 | 4 | OK | - | - | | | | | | | - | - | | | | | | - | - | | | | | | | - | - | | | | | |
| A氏 | 内部結合テスト | 内部IT設計 | 3 | 3 | OK | - | - | | | | | | | - | - | | | | | | - | - | | | | | | | - | - | | | | | |
| A氏 | 内部結合テスト | 内部IT実施 | 3 | 3 | OK | - | - | | | | | | | - | - | | | | | | - | - | | | | | | | - | - | | | | | |
| A氏 | 総合テスト洗場対応 | 設計 | 1.5 | 1.5 | OK | - | - | | | | | | | - | - | | | | | | - | - | | | | | | | - | - | | | | | |
| A氏 | 総合テスト洗場対応 | PG | 3 | 3 | OK | - | - | | | | | | | - | - | | | | | | - | - | | | | | | | - | - | | | | | |
| A氏 | 総合テスト洗場対応 | UT設計 | 1.5 | 1.5 | OK | - | - | | | | | | | - | - | | | | | | - | - | | | | | | | - | - | | | | | |
| A氏 | 総合テスト洗場対応 | UT実施 | 2.5 | 2.5 | OK | - | - | | | | | | | - | - | | | | | | - | - | | | | | | | - | - | | | | | |
| A氏 | 総合テスト洗場対応 | 内部IT設計 | 0 | 0 | OK | - | - | | | | | | | - | - | | | | | | - | - | | | | | | | - | - | | | | | |
| B氏 | 総合テスト洗場対応 | 内部IT実施 | 1 | 1 | OK | - | - | | | | | | | - | - | | | | | | - | - | | | | | | | - | - | | | | | |
| B氏 | 自動加工バッチ | 外部IT設計 | 1.5 | 1.5 | OK | - | - | | | | | | | - | - | | | | | | - | - | | | | | | | - | - | | | | | |
| B氏 | 自動加工バッチ | 外部IT実施 | 2.5 | 2.5 | OK | - | - | | | | | | | - | - | | | | | | - | - | | | | | | | - | - | | | | | |
| B氏 | 総合テスト | ST設計 | 1 | 1 | OK | - | - | | | | | | | - | - | | | | | | - | - | | | | | | | - | - | | | | | |
| B氏 | 総合テスト | ST実施 | 3 | 3 | OK | - | - | | | | | | | - | - | | | | | | - | - | | | | | | | - | - | | | | | |
| D氏 | インフラ構築 | インフラ設計 | 5 | 5 | OK | - | - | | | | | | | - | - | | | | | | - | - | | | | | | | - | - | | | | | |
| D氏 | インフラ構築 | インフラ作業 | 15 | 15 | OK | - | - | | | | | | | - | - | | | | | | - | - | | | | | | | - | - | | | | | |
| B氏 | 総合テスト洗場対応 | 設計 | 1.5 | 1.5 | OK | - | - | | | | | | | - | - | | | | | | - | - | | | | | | | - | - | | | | | |
| B氏 | 総合テスト洗場対応 | PG | 3 | 3 | OK | - | - | | | | | | | - | - | | | | | | - | - | | | | | | | - | - | | | | | |
| B氏 | 総合テスト洗場対応 | UT設計 | 1.5 | 1.5 | OK | - | - | | | | | | | - | - | | | | | | - | - | | | | | | | - | - | | | | | |
| B氏 | 総合テスト洗場対応 | UT実施 | 2.5 | 2.5 | OK | - | - | | | | | | | - | - | | | | | | - | - | | | | | | | - | - | | | | | |
| B氏 | 総合テスト洗場対応 | ST設計 | 0 | 0 | OK | - | - | | | | | | | - | - | | | | | | - | - | | | | | | | - | - | | | | | |
| B氏 | 移行 | ST実施 | 1 | 1 | OK | - | - | | | | | | | - | - | | | | | | - | - | | | | | | | - | - | | | | | |
| B氏 | 移行 | 移行作業 | 2 | 2 | OK | - | - | | | | | | | - | - | | | | | | - | - | | | | | | | - | - | | | | | |
| D氏 | 本番リリース | インフラ作業 | 4 | 4 | OK | - | - | | | | | | | - | - | | | | | | - | - | | | | | | | - | - | | | | | |
| C氏 | プロジェクト推進・管理 | 管理 | 60 | 60 | OK | 1 | - | 1 | 1 | 1 | 1 | 1 | | - | - | 1 | 1 | 1 | 1 | 1 | - | - | 1 | 1 | 1 | 1 | 1 | | - | - | 1 | 1 | 1 | 1 | 1 |

なお、1行目の見積工数は248人日とありますが、こちらは山積みの総人月12.4人月を人日で表現したものです。要するに作業を割り当てられる上限工数です。また予定済工数が220.5人日とありますが、こちらは現時点の総予定済工数です。よって、まだ27.5人日分の作業追加が可能とわかります。逆に、総予定済工数が248人日を超えたら見積ミスと判断できます。

2ヶ月目です。10月16日までにPG工程が完了し、10月30日までに単体テスト工程が完了するマスタースケジュールとなっております。

■ガントチャートの2ヶ月目の説明

| 担当者 | 機能名 | 作業内容 | 見積工数 | 予定進工数 | CHK |
|---|---|---|---|---|---|
| | | | 248 | 220.5 -27.5 | |
| A氏 | Webシステムの基本機能 | 設計 | 4 | 4 | OK |
| A氏 | Webシステムの基本機能 | PG | 4 | 4 | OK |
| A氏 | ログイン画面 | 設計 | 2 | 2 | OK |
| A氏 | ログアウト画面 | 設計 | 1 | 1 | OK |
| A氏 | ホーム画面 | 設計 | 1.5 | 1.5 | OK |
| A氏 | 売上買実画面 | 設計 | 3 | 3 | OK |
| A氏 | ログイン画面 | PG | 5 | 5 | OK |
| A氏 | ログアウト画面 | PG | 1.5 | 1.5 | OK |
| A氏 | ホーム画面 | PG | 2 | 2 | OK |
| A氏 | 売上買実画面 | PG | 5 | 5 | OK |
| B氏 | バッチシステムの基本機能 | 設計 | 3 | 3 | OK |
| B氏 | バッチシステムの基本機能 | PG | 3 | 3 | OK |
| B氏 | 自動加工バッチ | 設計 | 4 | 4 | OK |
| B氏 | 自動加工バッチ | PG | 6 | 6 | OK |
| B氏 | ログイン画面 | UT設計 | 1.5 | 1.5 | OK |
| B氏 | ログアウト画面 | UT設計 | 1 | 1 | OK |
| B氏 | ホーム画面 | UT設計 | 1.5 | 1.5 | OK |
| B氏 | 売上買実画面 | UT設計 | 2.5 | 2.5 | OK |
| C氏 | 自動加工バッチ | UT設計 | 3 | 3 | OK |
| C氏 | ログイン画面 | UT実装 | 2 | 2 | OK |
| C氏 | ログアウト画面 | UT実装 | 1 | 1 | OK |
| C氏 | ホーム画面 | UT実装 | 2 | 2 | OK |
| C氏 | 売上買実画面 | UT実装 | 4 | 4 | OK |
| C氏 | 自動加工バッチ | UT実装 | 5 | 5 | OK |
| A氏 | 単体テスト潰込対応1 | 設計 | 2 | 2 | OK |
| A氏 | 単体テスト潰込対応1 | PG | 4 | 4 | OK |
| C氏 | 単体テスト潰込対応1 | UT設計 | 2 | 2 | OK |
| C氏 | 単体テスト潰込対応1 | UT実装 | 3 | 3 | OK |
| B氏 | 単体テスト潰込対応2 | 設計 | 1.5 | 1.5 | OK |
| B氏 | 単体テスト潰込対応2 | PG | 2 | 2 | OK |
| B氏 | 単体テスト潰込対応2 | UT設計 | 1.5 | 1.5 | OK |
| B氏 | 移行 | 移行準備 | 4 | 4 | OK |
| B氏 | 移行 | 移行作業 | 4 | 4 | OK |
| A氏 | 内部結合テスト | 内部IT設計 | 3 | 3 | OK |
| A氏 | 内部結合テスト | 内部IT実装 | 3 | 3 | OK |
| A氏 | 結合テスト潰込対応 | 設計 | 1.5 | 1.5 | OK |
| A氏 | 結合テスト潰込対応 | PG | 3 | 3 | OK |
| A氏 | 結合テスト潰込対応 | UT設計 | 1.5 | 1.5 | OK |
| A氏 | 結合テスト潰込対応 | UT実装 | 2.5 | 2.5 | OK |
| A氏 | 結合テスト潰込対応 | 内部IT設計 | 0 | 0 | OK |
| A氏 | 結合テスト潰込対応 | 内部IT実装 | 1 | 1 | OK |
| B氏 | 自動加工バッチ | 外部IT設計 | 1.5 | 1.5 | OK |
| B氏 | 自動加工バッチ | 外部IT実装 | 2.5 | 2.5 | OK |
| B氏 | 総合テスト | ST設計 | 1 | 1 | OK |
| B氏 | 総合テスト | ST実装 | 3 | 3 | OK |
| D氏 | インフラ構築 | インフラ設計 | 5 | 5 | OK |
| D氏 | インフラ構築 | インフラ作業 | 15 | 15 | OK |
| B氏 | 総合テスト潰込対応 | 設計 | 1.5 | 1.5 | OK |
| B氏 | 総合テスト潰込対応 | PG | 3 | 3 | OK |
| B氏 | 総合テスト潰込対応 | UT設計 | 1.5 | 1.5 | OK |
| B氏 | 総合テスト潰込対応 | UT実装 | 2.5 | 2.5 | OK |
| B氏 | 総合テスト潰込対応 | ST設計 | 0 | 0 | OK |
| B氏 | 総合テスト潰込対応 | ST実装 | 1 | 1 | OK |
| B氏 | 移行 | 移行作業 | 2 | 2 | OK |
| D氏 | 本番リリース | インフラ作業 | 4 | 4 | OK |
| E氏 | プロジェクト推進・管理 | 管理 | 88 | 88 | OK |

次は3ヶ月目です。10月から続いた内部結合テスト工程が11月5日まで続き、外部結合テスト工程が19日までに完了し、総合テストが11月30日までに完了するマスタースケジュールになっております。

　総合テスト工程においてはガントチャートに比べマスタースケジュールに大きくバッファがあります。ガントチャートではバッファを後半に集中させています。ただし、仮に前半に開発メンバーの用事などがある場合は、バッファを使い前半に開発メンバーの用事を組み込んでおきます。

### ■ガントチャートの3ヶ月目の説明

4ヶ月目です。受入テスト工程が12月10日までに完了し、12月14日にリリースをするイメージでスケジューリングをしています。

4ヶ月目には受入テストやリリース直後などでなにかあった場合にすぐに対応できるように開発メンバーが1名1.0で配置しています。ガントチャート上はなにも作業がないので、急な仕様変更を含め想定外のリスクに対して1人月分の対応が可能です。

■ガントチャートの4ヶ月目の説明

| 担当者 | 機能名 | 作業内容 | 見積工数 | 予定済工数 | CHK |
|---|---|---|---|---|---|
| 管理 | | | 248 | 220.9 | -28 |
| A氏 | Webシステムの基本機能 | 設計 | 4 | 4 | OK |
| A氏 | Webシステムの基本機能 | PG | 4 | 4 | OK |
| A氏 | ログイン画面 | 設計 | 2 | 2 | OK |
| A氏 | ログアウト画面 | 設計 | 1 | 1 | OK |
| A氏 | ホーム画面 | 設計 | 1.5 | 1.5 | OK |
| A氏 | 売上閲覧画面 | 設計 | 3 | 3 | OK |
| A氏 | ログイン画面 | PG | 5 | 5 | OK |
| A氏 | ログアウト画面 | PG | 1.5 | 1.5 | OK |
| A氏 | ホーム画面 | PG | 2 | 2 | OK |
| A氏 | 売上閲覧画面 | PG | 3 | 3 | OK |
| B氏 | バッチシステムの基本機能 | 設計 | 3 | 3 | OK |
| B氏 | バッチシステムの基本機能 | PG | 3 | 3 | OK |
| B氏 | 自動加工バッチ | 設計 | 4 | 4 | OK |
| B氏 | 自動加工バッチ | PG | 6 | 6 | OK |
| B氏 | ログイン画面 | UT設計 | 1.5 | 1.5 | OK |
| B氏 | ログアウト画面 | UT設計 | 1 | 1 | OK |
| B氏 | ホーム画面 | UT設計 | 1.5 | 1.5 | OK |
| B氏 | 売上閲覧画面 | UT設計 | 2.5 | 2.5 | OK |
| B氏 | 自動加工バッチ | UT設計 | 3 | 3 | OK |
| C氏 | ログイン画面 | UT実施 | 2 | 2 | OK |
| C氏 | ログアウト画面 | UT実施 | 1 | 1 | OK |
| C氏 | ホーム画面 | UT実施 | 2 | 2 | OK |
| C氏 | 売上閲覧画面 | UT実施 | 4 | 4 | OK |
| C氏 | 自動加工バッチ | UT実施 | 5 | 5 | OK |
| A氏 | 単体テスト潰題対応1 | 設計 | 2 | 2 | OK |
| A氏 | 単体テスト潰題対応1 | PG | 4 | 4 | OK |
| B氏 | 単体テスト潰題対応1 | UT設計 | 2 | 2 | OK |
| C氏 | 単体テスト潰題対応1 | UT実施 | 3 | 3 | OK |
| B氏 | 単体テスト潰題対応2 | 設計 | 1.5 | 1.5 | OK |
| B氏 | 単体テスト潰題対応2 | PG | 2 | 2 | OK |
| B氏 | 単体テスト潰題対応2 | UT実施 | 1.5 | 1.5 | OK |
| B氏 | 移行 | 移行準備 | 4 | 4 | OK |
| B氏 | 移行 | 移行作業 | 4 | 4 | OK |
| A氏 | 内部結合テスト | 内部IT設計 | 3 | 3 | OK |
| A氏 | 内部結合テスト | 内部IT実施 | 3 | 3 | OK |
| A氏 | 結合テスト潰題対応 | 設計 | 1.5 | 1.5 | OK |
| A氏 | 結合テスト潰題対応 | PG | 3 | 3 | OK |
| A氏 | 結合テスト潰題対応 | UT実施 | 1.5 | 1.5 | OK |
| A氏 | 結合テスト潰題対応 | UT実施 | 2.5 | 2.5 | OK |
| A氏 | 結合テスト潰題対応 | 内部IT設計 | 0 | 0 | OK |
| A氏 | 結合テスト潰題対応 | 内部IT実施 | 0 | 0 | OK |
| B氏 | 自動加工バッチ | 外部IT設計 | 1.5 | 1.5 | OK |
| B氏 | 自動加工バッチ | 外部IT実施 | 2.5 | 2.5 | OK |
| B氏 | 総合テスト | ST設計 | 1 | 1 | OK |
| B氏 | 総合テスト | ST実施 | 3 | 3 | OK |
| D氏 | インフラ構築 | インフラ設計 | 5 | 5 | OK |
| D氏 | インフラ構築 | インフラ作業 | 15 | 15 | OK |
| B氏 | 総合テスト潰題対応 | 設計 | 1.5 | 1.5 | OK |
| B氏 | 総合テスト潰題対応 | PG | 3 | 3 | OK |
| B氏 | 総合テスト潰題対応 | UT実施 | 1.5 | 1.5 | OK |
| B氏 | 総合テスト潰題対応 | UT実施 | 2.5 | 2.5 | OK |
| B氏 | 総合テスト潰題対応 | ST実施 | 1 | 1 | OK |
| B氏 | 総合テスト潰題対応 | ST実施 | 1 | 1 | OK |
| B氏 | 移行 | 移行作業 | 2 | 2 | OK |
| D氏 | 本番リリース | インフラ作業 | 4 | 4 | OK |
| C氏 | プロジェクト推進・管理 | 管理 | 60 | 60 | OK |

（ガントチャートの日付欄は12月1日〜31日。受入テストは12月上旬、リリースは12月14日付近に配置）

**5.2.5 ガントチャートの予実管理**

　ガントチャートで、開発メンバーと予実管理も実施できます。本書では、**予実管理において、予定に重きを置いている**ため、実績管理は色塗り程度で管理します。完了したら黒塗りをして、遅延した場合はガントチャートを修正し予定を追加します。遅延状況をすぐに把握したいためです。**予実管理における状況把握とは、進捗率を把握することではなく、現状で問題なくリリースができるのかを常に把握できていること**です。

　本書では、状況によりますが、基本的に**遅延を担当者の責任にしません。**

　**担当者にどうにかしてもらうというスタンスはアンコントローラブルな管理手法**です。たとえば、プログラマーの進捗が遅かった場合、仮に見積が正しくて、プログラマーのコーディングスピードが想定より遅かったとして、「〇〇さん、進捗が遅いです。なんとかしてください」と言っても、恐らく計画的なプロジェクト管理はできません。

　この状況は、いつ終わるかわからない状況です。そのため、担当者になんとかしてもらおうとする現場は、炎上していることが多いです。

　まずは、**遅延の原因を、「見積ミス」か「リーディングミス」か「一過性のトラブル」**にグループ分けします。

　原因が見積ミスの場合は、見積を見直してスケジュールを修正します。原因が風邪などの一過性のトラブルの場合は、今後は計画通りに進捗が進むのであればスケジュールの修正だけでよいです。原因がその他の場合は、誰かがコントロールしないと計画的な開発ができないため、原因をすべてリーディングミスに寄せます。原因がリーディングミスの場合は、計画通りに進捗が進むように、PMが手段を考え実行します。

　それでは、ガントチャートを使った簡単な予実管理の例を示します。

　こちらは実績の記載前の予定だけの例です。

■ガントチャートを使った予実管理の例（実績記述前）

| | | | | | | 月 | 9 | | | | | | | | | | | |
| | | | | | | 日 | 1 | 2 | 3 | 4 | 5 | 6 | 7 | 8 | 9 | 10 | 11 | 12 |
| 担当者 | 機能名 | 作業内容 | 見積工数 | 予定済工数 | CHK | | 金 | 土 | 日 | 月 | 火 | 水 | 木 | 金 | 土 | 日 | 月 | 火 |
| 管理 | - | - | 248 | 220.5 | -27.5 | | | | | | | | | | | | | |
| A氏 | Webシステムの基本機能 | 設計 | 4 | 4 | OK | | 1 | - | - | 1 | 1 | 1 | | | - | - | | |
| A氏 | Webシステムの基本機能 | PG | 4 | 4 | OK | | - | - | | | | | 1 | 1 | - | - | 1 | 1 |

表は９月４日までの実績を記載した例です。進捗状況は順調です。

**■ ガントチャートを使った予実管理の例（実績記述後）**

| 担当者 | 機能名 | 作業内容 | 見積工数 | 予定済工数 | CHK | 月 9 | | | | | | | | | | | |
|---|---|---|---|---|---|---|---|---|---|---|---|---|---|---|---|---|---|
| | | | | | | 日 1 | 2 | 3 | 4 | 5 | 6 | 7 | 8 | 9 | 10 | 11 | 12 |
| | | | | | | 金 | 土 | 日 | 月 | 火 | 水 | 木 | 金 | 土 | 日 | 月 | 火 |
| 管理 | - | - | 248 | 220.5 | -27.5 | | | | | | | | | | | | |
| A氏 | Webシステムの基本機能 | 設計 | 4 | 4 | OK | 1 | - | - | 1 | 1 | 1 | | | - | - | | |
| A氏 | Webシステムの基本機能 | PG | 4 | 4 | OK | | - | - | | | | 1 | 1 | - | - | 1 | 1 |

　以下、Ａ氏が風邪をひいたため９月５日を休み、９月６日から作業を再開した場合のガントチャートです。予定はリスケジューリング済みです。

**■ ガントチャートを使った予実管理の例（リスケジューリング済み）**

| 担当者 | 機能名 | 作業内容 | 見積工数 | 予定済工数 | CHK | 月 9 | | | | | | | | | | | |
|---|---|---|---|---|---|---|---|---|---|---|---|---|---|---|---|---|---|
| | | | | | | 日 1 | 2 | 3 | 4 | 5 | 6 | 7 | 8 | 9 | 10 | 11 | 12 |
| | | | | | | 金 | 土 | 日 | 月 | 火 | 水 | 木 | 金 | 土 | 日 | 月 | 火 |
| 管理 | - | - | 248 | 221.5 | -26.5 | | | | | | | | | | | | |
| A氏 | Webシステムの基本機能 | 設計 | 4 | 5 | 1 | 1 | - | - | 1 | 1 | 1 | 1 | | - | - | | |
| A氏 | Webシステムの基本機能 | PG | 4 | 4 | OK | | - | - | | | | | 1 | - | - | 1 | 1 |

　リスケジューリングした予定を見ると、２行目の予定済み工数が１人日追加されています。そして、１行目の管理行を確認すると、総見積工数248人日に対して、総予定済工数がリスケジューリング前に比べ１人日追加され、221.5人日となっています。
　よって、総見積工数に対してまだ26.5人日余裕があるので、現状の予定状況には、まだ余裕があることがすぐに確認できます。

**5.2.6 見積の反省**

　システム開発が終わったら、プロジェクトの反省会をすることをお勧めします。要件定義からシステム開発の細かな工程まで、いろいろなところに反省点がでてくると思います。その反省点を活かせば、次はよりよいサービスができるようになります。

　そして、**見積における反省としては、計画通りであったか、計画通りでなかったならば、なにに問題があったかを確認していくこと**になりますが、わかりやすく簡単に反省する手段として、前述したガントチャートの1行目の総見積工数と総予定済工数を確認する方法があります。

　以下の例では、ガントチャートの全量をお見せしてはいませんが、計画通りにリリースができたとします。そして、見積の反省をするために、1行目を確認しますが、1行目は管理用の情報を記載しています。1行目の見積工数は、総見積工数であり、予定済工数は総予定済工数です。

　状況を確認すると、総見積工数が248人日でリリースが完了した状況下で総予定済工数が220.5人日であれば、見積工数内で余裕をもってリリースができたわけなので、この見積は問題ない状況といえます。

■ガントチャートを使った予実管理の例 (問題のない見積の例)

| 担当者 | 機能名 | 作業内容 | 見積工数 | 予定済工数 | CHK | 金 | 土 | 日 | 月 | 火 | 水 | 木 | 金 | 土 | 日 | 月 | 火 |
|---|---|---|---|---|---|---|---|---|---|---|---|---|---|---|---|---|---|
| | | | | 月 | 9 | | | | | | | | | | | | |
| | | | | 日 | | 1 | 2 | 3 | 4 | 5 | 6 | 7 | 8 | 9 | 10 | 11 | 12 |
| 管理 | - | - | 248 | 220.5 | -27.5 | | | | | | | | | | | | |
| A氏 | Webシステムの基本機能 | 設計 | 4 | 4 | OK | 1 | - | - | 1 | 1 | 1 | | | - | - | | |
| A氏 | Webシステムの基本機能 | PG | 4 | 4 | OK | | - | - | | | | | 1 | 1 | - | - | 1 | 1 |

次に、問題がある見積、もしくは問題があるリーディングをした場合の見積です。

**■ ガントチャートを使った予実管理の例 (問題がある見積の例)**

| 担当者 | 機能名 | 作業内容 | 見積工数 | 予定済工数 | CHK | 19 日 | 20 月 | 21 火 | 22 水 | 23 木 | 24 金 | 25 土 | 26 日 | 27 月 | 28 火 | 29 水 | 30 木 | 1 金 | 2 土 | 3 日 | 4 月 | 5 火 | 6 水 | 7 木 | 8 金 | 9 土 | 10 日 | 11 月 | 12 火 | 13 水 | 14 木 | 15 金 | 16 土 | 17 日 |
|---|---|---|---|---|---|---|---|---|---|---|---|---|---|---|---|---|---|---|---|---|---|---|---|---|---|---|---|---|---|---|---|---|---|---|
| 管理 | - | - | 248 | 253.5 | 5.5 | | | | 総合テスト | | | | | | | | | | 受入テスト | | | | | | | | | | リリース | | | | | | |
| B氏 | 総合テスト課題対応 | 設計 | 1.5 | 1.5 | OK | - | | | | | | - | - | | | | | | - | - | | | | | | | | | | | | | - | - |
| B氏 | 総合テスト課題対応 | PG | 3 | 3 | OK | - | | | | | | - | - | | | | | | - | - | | | | | | | | | | | | | - | - |
| B氏 | 総合テスト課題対応 | UT設計 | 1.5 | 1.5 | OK | - | 0.5 | | | | | - | - | | | | | | - | - | | | | | | | | | | | | | - | - |
| B氏 | 総合テスト課題対応 | UT実施 | 2.5 | 2.5 | OK | - | 0.5 | 1 | 1 | | | - | - | | | | | | - | - | | | | | | | | | | | | | - | - |
| B氏 | 総合テスト課題対応 | ST設計 | 0 | 0 | OK | - | | | | | | - | - | | | | | | - | - | | | | | | | | | | | | | - | - |
| B氏 | 総合テスト課題対応 | ST実施 | 1 | 6 | 5 | - | | | | 1 | | - | - | 1 | 1 | 1 | 1 | 1 | - | - | | | | | | | | | | | | | - | - |
| B氏 | 移行 | 移行作業 | 2 | 2 | OK | - | | | | | | - | - | | | | | | - | - | | | | | | | | | 1 | 1 | | | - | - |
| D氏 | 本番リリース | インフラ作業 | 4 | 4 | OK | - | | | | | | - | - | | | | | | - | - | | | | | | | | 1 | 1 | 1 | 1 | | - | - |
| C氏 | 品質強化対応 | UT設計 | 0 | 3 | 3 | - | | | | | | - | | | | | | | 1 | 1 | 1 | | | | | | | | | | | - | - |
| C氏 | 品質強化対応 | UT実施 | 0 | 3 | 3 | - | | | | 1 | 1 | - | - | 1 | | | | | - | - | | | | | | | | | | | | - | - |
| A氏 | 品質強化対応 | PG | 0 | 4 | 4 | - | | | | | | - | - | 1 | 1 | 1 | 1 | | - | - | | | | | | | | | | | | - | - |
| B氏 | 品質強化対応 | PG | 0 | 5 | 5 | - | | | | | | - | - | 1 | 1 | 1 | 1 | 1 | - | - | | | | | | | | | | | | - | - |
| C氏 | 品質強化対応 | UT設計 | 0 | 2 | 2 | - | | | | | | - | - | | | | | | - | - | 1 | 1 | | | | | | | | | | - | - |
| C氏 | 品質強化対応 | UT実施 | 0 | 2 | 2 | - | | | | | | - | - | | | | | | - | - | | | 1 | 1 | | | | | | | | - | - |
| B氏 | 総合テスト課題対応 | ST実施 | 0 | 1 | | - | | | | | | - | - | | | | | | - | - | | | | | 1 | | | | | | | - | - |
| E氏 | プロジェクト推進・管理 | 管理 | 68 | 68 | OK | - | 1 | 1 | 1 | 1 | 1 | - | - | 1 | 1 | 1 | 1 | 1 | - | - | | | | | | | 1 | 1 | 1 | 1 | 1 | - | - |

260

　当初の見積作業にはなかった品質強化対応というタスクが追加されています。結合テストや総合テストで品質が悪い状況だったため、追加した対応とします。また、対応には、急遽メンバーを追加して対応しています。また、全体は表示していませんが、各作業についても遅れていたとします。

　そして、管理行である1行目を確認すると、総見積工数が248人日に対し、総予定済工数は253.5人日となっており、当初の見積より5.5人日多く追加されています。また、総見積工数は開発メンバーの山積みから算出している上限工数です。よって、総見積工数を超えているということは、残業時間で超過しているかもしくは開発メンバーが追加しているかという状況となります。今回は開発メンバーを追加しているため、メンバーの追加は人日単位の損失ではなく、1人月単位の損失となります。そのため、実際は5.5人日のミスというよりは、1人月分のコストオーバーとなります。

　このようにガントチャートを使って、予定重視で予実管理をしていると、計画通りに進まなかったことが数字的にすぐにわかります。また、品質が悪かったことや各作業の遅延の原因が、見積の問題なのかほかの問題なのかを反省していくことができます。

# 見積と
# プロジェクトリーディング

## 5.3.1 見積の計画通りになるようにリーディング

**リーディングの基本は、計画をして計画通りに実行するようにメンバーを導くこと**です。

精度の高い見積ができても、システム開発工程で開発メンバーを十分にリーディングしていないと、見積時の計画通りにプロジェクトを進めることは難しいです。

理由は、リーディングなしで開発メンバーの能力に頼りすぎると、レビューをしてみたら、目指していた成果物と違うものができあがる可能性が高くなるためです。

たとえば、作業指示が足りないなかで開発メンバーがプログラミングをし、PMが成果物をレビューし、想定した作り方と大きく違ったため、開発メンバーが大量の修正をするとします。

このようなプロジェクト推進は手戻り工数が多くなり、計画的に作業が進まず、予定に対して作業が遅れていきます。開発メンバーは失敗をすることで学ぶことができるかもしれませんが、現場で失敗することは、基本的に計画的なシステム開発が行えません。お客様に迷惑をかけてしまう可能性があります。

また、リーディングがないなかで作業をしても、統一性や保守性、拡張性が開発メンバーの能力次第になってしまうため、計画的な品質

は担保できません。前にも述べましたが、開発メンバー全員が優秀なメンバーとはかぎりません。

　見積工数には手戻り工数を必要以上に設定していません。やり直しに近い手戻り工数が多く発生した場合、バッファで対応するにも限界があります。

　大規模プロジェクトを含め、さまざまなプロジェクトを経験しましたが、炎上するプロジェクトの原因は、見積工数が足りないケースもありますが、リーディングが足りないケースも少なくありませんでした。

　システム開発工程において、効果的なプロジェクトリーディングとして、「作業指示」と「確認」を日々実施することをお勧めします。

　具体的には、朝会などで各メンバーになんのタスクをどのように実施するか説明することです。

　たとえば、朝会でPMが開発担当者にガントチャートや設計書などを見ながら説明します。「Aさんの本日の作業は、予定を見るとログイン機能のPGです。今日は必要なファイルを作り、画面の疎通までを目標にしましょう。画面の疎通が終わったら念のため一度ソースを見せてください。」

　細かくリーディングすることは、開発メンバーにとって気持ちのよいことではありませんし、PMにとっても時間が足りず難しいので、1日に1度程度の頻度でチェックすることで、バランスよく手戻り工数を減らすことができます。

システム開発の成功のために、PMは想定外のリスクを含め計画を立てて見積をし、開発工程では見積通りにリリースができるように、常にリーディングをしていくことが重要になります。

## 5.3.2 リーディングと自発性

細かいリーディングをすると「自発性」が減る可能性があります。

開発メンバーのことをなにも考えずにリーディングをしていると、開発メンバーが自発的な仕事ができなくなり仕事を楽しめなくなります。自発的な仕事は仕事の基本だと思います。

そのため、自発性を大切にしたいため、朝会などでは、まずは開発メンバーからプランを伝えてもらうようにして自発的な考えを確認します。この確認の場で、PMが開発メンバーのプランを確認し、大きな問題がなければそのまま進めてもらいます。もし大きく間違っていたら修正プランを伝えるようにします。開発メンバーがプランを用意できなかった場合は、プランを伝えます。

開発メンバーがプランを立てていなくても問題はありません。そもそもリーディングはPMもしくはPLの仕事です。

次のリスクとしては、高い能力をもったメンバーの能力を活かしきれない可能性があります。こちらについては、問題がなければ、だんだんと最低限の管理に減らしていけば問題ありません。

むしろ、必要以上の口出しはしないようにしましょう。マイクロマネジメントは、チームの士気を下げやすく、チームにとってマイナスになりえます。

### 5.3.3 リーディングと教育

　細かいリーディングをすると「失敗から得る学び」が減る可能性があります。リーディングが多いシステム開発の場合、開発メンバーの原因で失敗する機会が減りますが、自分の思い通りにシステム開発をすることが制限されるためストレスがかかります。

　まず、リーディングが不要な開発メンバーには最低限の指示に減らして問題ありません。

　次に、リーディングが必要な開発メンバーに対しては、会社として、自己学習の機会を用意することが必要です。

　自分の考え通りにシステムを構築し失敗し学ぶ場は必要なのです。

　ただし、PMのリーディングのなかから学ぶことも非常に大きいと考えています。リーディングは教育の場にもなると思います。

　経験豊富な上長の考え方や仕事の仕方を、お手本として聞くチャンスでもあるためです。

　個人的には、先輩や上司から教えていただいた考え方や技術は、私にとって非常に大きなウェートを占めています。自分で学ぶことも必要ですが、先輩達の歴史から学ぶこともとても重要です。

# 第5章
## 4 リーディングの アンチパターン

 **5.4.1 リーディングをしない**

　システム開発のプロジェクトがスタートし、見積内容に沿ってプロジェクトをリーディングする際に、リーディングをするべき人が「こうしてください」とリーディングをせず、常に「どうしますか?」とメンバーに依存した態度で進めるプロジェクトリーディングは計画通りに進まないケースが多いです。

　仕事はメンバー自身にもなにをするべきか考えてもらうことは大切ですが、リーディングをするべき人が答えをもっていない状態でプロジェクトを進めてしまうケースはよくありません。結果的には、リーディングをしていない状態といえます。

　また、メンバーの提案に対しても、「これはよくないと思います」と評価だけして、答えを示すリーディングをしないケースも同じです。計画通りに進まないチームのリーダーに非常によく見られる光景として、リーダーがリーディングをせず、ただメンバーの成果物をレビューして突き返す行為を何度も繰り返し、上長に「作業が遅延しています」と報告するパターンです。

　正しい見積工数の基の遅延でしたらメンバーにも責任はありますが、それでも遅延しないように、リーディングをするべきです。

　リーディングができない人がリーディングをしている場合の対処としてはリーディングができる人に代わってもらうか、リーディングが

わかる人にサポートしてもらいながらリーディングをするようにして
ください。

 **5.4.2 困難な環境のまま進める**

　リーディングが困難な環境もあります。そういった環境は計画通り
にリーディングができないリスクがあるため問題です。この問題の原
因の多くは、誰がリーディングをするべきか体制がはっきりしていな
い場合や、リーディングの妨げとなる関係者の存在などです。

　リーディング体制の問題としては、たとえば、リーディングをする
人がPLとPMと2名いるとして、PLとPMの意見が異なることが多
く、ダブルスタンダードが発生したり、リーディングを譲り合ったり
して、リーディングがしづらくなることです。

　誰がリーディングするべきかわかりづらい体制の場合は、思い切っ
てわかりやすい体制にしたほうが責任のあるリーディングが機能しま
す。たとえば、PLがリーディングをするのであれば、PMはチームに
直接口を出さずに、PMはPLとの定期的なミーティングなどでリスク
ヘッジのみに努めるほうが、リーディングが機能します。リーディン
グ役はチーム内に1名がよいです。

　次に、リーディングの妨げとなる関係者の存在という問題は、とて
も伝えづらいのですが、現実にあります。この問題の損害は甘く見て
はいけません。

　問題となる関係者が重要なキーマンの場合、開発においてクリティ

カルな影響力をもっているため、単純にリーディングの阻害になるだけでなく、計画が成り立たなくなることがあります。また、そもそも人間関係の問題のため、退職者が多く発生してしまう可能性があります。

　こちらの場合も思い切って、なるべく早く、問題がなくなるような体制変更を推奨します。

### ⚙ 5.4.3 計画が曖昧なまま進める

　ここまで見積の手順の説明において、詳細な計画をすることをお伝えしましたが、計画が曖昧なままプロジェクトが進むケースはあります。

　もちろん、計画が正確ではないので、計画通りに進まないリスクが高いリーディングになります。

　この問題が一番発生しているケースとしては、お客様が決めた「予算」と「スケジュール」を優先しすぎている場合です。

　もちろん、詳細で問題のない計画ができていれば問題はありません。

　また、お客様が決めた予算でも、小規模なシステム開発であればなんとかできることもありますが、中規模以上のシステム開発で実施した場合はかなり難しい仕事になると思います。

　計画が詳細でない場合や、構築内容や構築方法に不明点がある場合

は、計画通りに進まないため、計画ができるスコープからはじめたり、不明点があるならば、不明点を明確にしたりしてから、次の計画に進めるような細く長いスケジュールを選択したほうがよいです。

　一番大切な計画は見積になります。基本的に見積時に示した金額は、体制と期間を基に計算されています。よって、見積時に考えた体制と期間でシステム構築をします。そのため、大規模システムなどで曖昧な計画や構築内容や構築方法に不明点がある状況で見積をすることは、体制やスケジュールが間違えてしまう可能性が高く、計画性が低くなり、リーディング力も弱くなります。

　よって、**見積時には、規模に関係なく不明点をなくし、正確な計画を立ててから、開発を進めるべき**です。

## 🔧 5.4.4 致命的な問題点を無視する

　システム開発において致命的な問題点が発覚することがあります。不具合や課題を見つけた場合は当然すぐに対応をすると思いますが、対処に多くのストレスがかかるタイプの問題の場合、対応が遅れるケースがあります。

　たとえば、アサインしたメンバーのスキルが、求めていたスキルに対して大きく低かった場合です。

　メンバーチェンジをしないと、計画からどんどん遅れていくと判断した場合は、スピーディにメンバーチェンジをするように調整しましょう。

メンバーチェンジというと、どうしてもメンバーを信じたくなりますし、さまざまな人と調整が必要になるので少し億劫に感じると思いますが、実行しなければならないと考えたことは思い切って実行することが大切です。

　**計画通りに進めることができなくなる致命的な問題点については、無視せず、すぐに対応**するようにしましょう。

## 5.4.5 計画の再計算をしない

　システム開発において、要求定義や要件定義において、はじめに決めた内容が変わらず、開発が完了することは少ないです。要件定義後も追加要望があったり検討不足があったりするものです。

　そのため、システム開発途中で仕様追加や仕様変更が発生することがありますが、その際に、当初の見積時の計画のまま、問題なくリリースができるのか、計画の再計算をする必要があるのですが、再計算をしない場合、当初の計画のままでは予定工数が足りなくなっている可能性があります。

　第3章のケーススタディでも同様の内容を伝えていますが、非常に多いケースのため、リーディングのアンチパターンとしても記載します。

　計画の再計算の方法としては、第2章の「見積の手順」の通りの作業を修正という形で実施します。慣れてしまえば時間はかかりません。
　なお、微小な仕様変更でしたら第5章で説明した以下ガントチャー

トの見積工数と予定済工数を利用して、追加作業を予定に追加してみて、管理行の総予定済工数が総見積工数の範囲内かどうかの確認で判断してもよいです。

■管理行の総予定済工数が総見積工数の範囲内か確認

| 担当者 | 機能名 | 作業内容 | 見積工数 | 予定済工数 | CHK | 月 | 9 | | | | | | | | | | |
|---|---|---|---|---|---|---|---|---|---|---|---|---|---|---|---|---|---|
| | | | | | | 日 | 1 | 2 | 3 | 4 | 5 | 6 | 7 | 8 | 9 | 10 | 11 | 12 |
| | | | | | | | 金 | 土 | 日 | 月 | 火 | 水 | 木 | 金 | 土 | 日 | 月 | 火 |
| 管理 | - | - | 248 | 220.5 | -27.5 | | | | | | | | | | | | | |
| A氏 | Webシステムの基本機能 | 設計 | 4 | 4 | OK | | 1 | - | - | 1 | 1 | 1 | | | - | - | | |
| A氏 | Webシステムの基本機能 | PG | 4 | 4 | OK | | - | - | | | | | 1 | 1 | - | - | 1 | 1 |

　再計算をしないで、お客様の依頼を受けすぎて赤字になってしまうプロジェクトもあります。**仕様変更や追加作業は正確に常に管理して、常にプロジェクトが成功する計画となる状況にしましょう。**

### 5.4.6 お客様と調整をしない

　プロジェクトにおいて、計画は常に問題のない状態にしておく必要があります。たとえば、お客様が仕様変更を依頼してきたとします。システム開発会社は、仕様変更をするための計画をしてみて、お客様の要望通りに計画ができない場合は、お客様と調整をする必要があります。

　見積のバッファ内の作業追加でしたら対応してあげたいですが、明らかに計画通りに進めることができない場合は、やはりお客様と調整が必要になります。

具体的には、スケジュール変更や追加請求ができるか相談をします。スケジュール変更や追加請求ができない場合は、追加作業分なにか作業を減らすなどの交渉が必要になります。

　アンチパターンとしては、現状の正確なバッファ状況も把握していない状況で、仕様変更内容の詳細な検討もせずお客様の要望を受け入れ、お客様とスケジュールや体制の調整もせず、プロジェクトを進めた場合です。当然、計画通りに進めることは難しくなります。

**　スケジュール変更や体制変更が必要な場合は、しっかりお客様と調整をするようにしましょう。**

# リーダー次第で工数は変わる

　システム開発では、PMやPLなどがリーディングをしますが、リーダー次第で見積工数は変わります。

　理由は、構築内容に対してリーダーが常にくわしいとはかぎらず、慣れ不慣れの状況によって、リーディング量や開発のスムーズさが違うためです。

　よって、同じシステム開発でもリーダーによっては工数は増えても仕方ありません。当然、メンバーの慣れ不慣れの状況によっても工数は変わります。

　たとえば、お客様が指定する技術に対し、受注したシステム開発会社にその技術に対する知見がない場合は、開発をスムーズに進めることは難しいため工数は多くなります。

　もちろん、慣れたメンバーやアドバイザーを参画させたり、PoCの工程を追加することで計画の精度に対してリスクヘッジはできますが、素直に工数を増やしておくことがもっとも有効です。

　ただし、比較的一般的な構築内容において、知見がないことでお客様にその分多くの金額を請求することはおかしいため、必要に応じて値引きをすることが良いと考えます。

　なお、よくないケースとしては、自信がないのにも関わらず、無理な工数で計画を進めて納品日に遅れてしまうことです。

# 第5章 5 見積と管理のまとめ

## 5.5.1 計画とリーディングと管理が大切

　プロジェクトが計画通りに成功するためには、**精度の高い計画**と、**計画通りに実行するためにリーディング**することが大切です。そして、システム開発のなかで状況が変わった場合は、計画の再計算を実行して見積のバッファ内の状況か確認し、**常にシステム開発が成功する状態にする管理が大切**です。

　また、プロジェクトの計画は、見積時には完了している必要があります。理由は見積時の金額に沿って、スケジュールと体制が決まるためです。

　そのため、見積が間違えていた場合、人が足りなくなったりスケジュールに間に合わなくなったりして、お客様に迷惑をおかけします。

　さらに、見積が間違えていた場合、残業が多く発生し、開発メンバーにまで迷惑をかけます。

　そのため、見積がとても大事になります。ぜひ、詳細で安全な計画を伴った見積を作るために、第2章の「見積の手順」を参考にしてみてください。

　次に、詳細な計画ができたら、第5章を参考に、プロジェクトを計画通りに進められるように、開発メンバーをリーディングして、プロジェクト状況が常に計画通りであるように管理をしてください。

**5.5.2 ビジョンのあるビジネスが大切**

　安全で持続可能なシステム開発事業のためには、利益を優先しすぎないことが重要です。

　お客様が利益を大事にし、予算を少なくした場合、システム開発会社は受注をするために、お客様の要望を満たす内容で、さらに利益を確保するために、本来開発に必要な体制やスケジュールよりも厳しい条件で受注するケースが多いです。

　利益を優先にすると、厳しい条件下でのシステム開発プロジェクトになることが多く、開発メンバーやお客様のシステム担当者様が辛い思いをすることが多いです。

　企業は利益を優先しているつもりでも、得たものは一時的な利益であり、もっと大切な人の輪を失っていく可能性があります。

　人の輪を欠いてはビジョンから遠のきます。そのため、利益のためのビジネスではなく、ビジョンのためのビジネスをしていくことが大事です。ビジョンは会社のビジョンでもいいですし、個人のビジョンでもよいです。

　会社の利益のために誰がどこまでがんばれるのでしょうか。

　一度きりの人生ですので、自分のビジョンを見つけて有意義な時間を過ごしましょう。そして、有意義でない時間はもったいないです。

　**システム開発に関わるすべての方が有意義な時間を使うためにも、ぜひ、安全で余裕のある詳細な計画を作り、その計画に沿った見積を作り、見積通りにシステム開発をしていきましょう。**

# memo

イラスト：齋藤 瑞生（さいとう みずき）

# あとがき

## メッセージ

最後まで読んでいただき、誠にありがとうございました。

『プロジェクトマネージャーのためのより正確な見積を作るための本』は、いかがでしたでしょうか。

見積方法は、環境や条件次第で変わってくるため、本書のすべてが参考になるとはかぎらないと思いますが、とにかく厳しいスケジュールの開発現場が少しでも減ることを祈り、勇気を振り絞って本書を執筆しました。

スケジュールの厳しい開発現場では正しい見積工数の算出方法がわからなかったり、お客様への説明の仕方がわからなかったりします。そのため、本書ではできるかぎり現場に近い具体的な見積例の提示やお客様への説明観点の提示をすることにこだわりました。

本書が見積に関わる方々に、少しでもお役に立てれば幸いです。

最後に、本書で説明しきれていない技術や業務の見積やプロジェクト管理などで困ったことがありましたら、気軽にご相談ください。

それでは、みなさまのシステム開発が低残業で成功することを祈り、筆をおきます。

著者プロフィール ●

ストラクチュアルライン株式会社
## 牧石 幸士（まきいし ゆきひと）

　システムエンジニアやコンサルタントとして、クレジットカードや銀行の金融系システム、SAP やスクラッチによる基幹系システム、AI 系システム、大規模 EC サイトなどの開発に従事。

　プロジェクトマネージャーとしては、大小数多くのプロジェクトを牽引し、そのなかで「見積とスケジュールの精度」と「システムの品質」には一定の評価を得てきた。

　近年では、システム開発事業のコンサルタントとして、開発標準や標準コンポーネントの整備、システム開発の教育を実施し、開発リソースと品質の安定化、お客様の事業の最適化にも貢献している。

HP：https://sl-inc.co.jp/
Mail：info@sl-inc.co.jp

# プロジェクトマネージャーのための
# より正確な見積を作るための本

| 発行日 | 2023年10月10日 | 第1版第1刷 |
| --- | --- | --- |

著　者　牧石　幸士

発行者　斉藤　和邦
発行所　株式会社　秀和システム
　　　　〒135-0016
　　　　東京都江東区東陽2-4-2　新宮ビル2F
　　　　Tel 03-6264-3105（販売）Fax 03-6264-3094
印刷所　三松堂印刷株式会社　　　　　　Printed in Japan

ISBN978-4-7980-7073-5 C0055